みんなの日本語

初級II 第2版

Minna no Nihongo

漢字練習帳
(かんじれんしゅうちょう)

東京国際日本語学院 [著]

スリーエーネットワーク

Published by 3A Corporation.
Trusty Kojimachi Bldg., 2F, 4, Kojimachi 3-Chome, Chiyoda-ku, Tokyo 102-0083, Japan

ISBN978-4-88319-693-7 C0081

First published 2004
Second Edition 2014
Printed in Japan

まえがき

　『みんなの日本語初級』を使って日本語の指導をしている現場の教師から、教科書の進度に合わせ、段階的に漢字が指導できる教材が長く望まれていました。

　この漢字練習帳は、そのような要望に応え、『みんなの日本語初級』と併用することで、文法力、語彙力と共に 十分な漢字力の向上がはかれることを念頭において 作成されました。

　各課はその課で学ぶ文型を軸に、それまでに出ている既習の語彙を提出しているため、進度に沿って、無理なく、しかも確実に漢字力を身につけることができます。

　既刊の『初級Ⅰ　第2版　漢字練習帳』に取り上げた漢字の総数は218字、本書は312字、Ⅰ、Ⅱ合わせて530字です。これらは『日本語能力試験出題基準［改訂版］』(2002年国際交流基金、財団法人日本国際教育協会) の3、4級はもとより、2級のその課に出ている使用頻度の高い漢字を採用しました。

　この『初級Ⅱ　第2版　漢字練習帳』の特長は漢字の難易度によりステップ1、ステップ2に分けてあり、「本書の使い方」にある例のように学習者のレベルに応じた学習方法が選択できることです。

　本書は当学院教師室岡由美、金瀬眞知子、山田純子を中心に現場の教師達の意見を参考に、より本冊に準拠するよう検討を重ね、漢字、語彙をより一層充実させるべく編集したものです。この教材を使用することにより、漢字力ひいては初級の総合力アップに役立てば幸いです。

東京国際日本語学院

教務主任

綾　部　眞　弓

　本書は『みんなの日本語　初級Ⅱ　第2版　本冊』の発行に伴い、語彙・文型の見直しを行い、第2版として発行するものです。

2014年4月　スリーエーネットワーク

本書をお使いになる方へ

本書の構成並びに特色

　この漢字練習帳は『みんなの日本語　初級Ⅱ　第2版　本冊』の補助教材として作成された。『日本語能力試験出題基準［改訂版］』（2002年国際交流基金、財団法人日本国際教育協会）の2・3級（一部4級）を中心とした新出漢字312字が段階を追って無理なく学習できるように配列してある。なお、『初級Ⅰ　第2版　漢字練習帳』と合わせると合計530字（3・4級284字、2級246字）の漢字が学習できる。

　すべての課はステップ1、ステップ2に分けて構成されている。

　　　ステップ1……●3・4級及び一部の2級の新出漢字　各課9字。

　　　　　　　　　　●これを習得することにより、『初級Ⅰ　第2版　漢字練習帳』の218字と合わせると335字になり、N4レベルの漢字力を十分身につけることができる。

　　　　　　　　　　●非漢字圏の学習者や短期学習者も状況・場面のわかりやすい文の中で漢字が習得できる。

　　　ステップ2……●2級漢字　各課15字。

　　　　　　　　　　●ステップ1、ステップ2を勉強し、使用頻度の高いN3-N2相当の漢字を習得することで、さらに高水準の漢字力を身につけることができる。また、中級への足がかりとなる。

1　各課の構成

　27～50課は2課毎に、26課のみ1課でまとめた。

　①　漢字シート

　　　各課の冒頭にある。

　　　各漢字には音読みと訓読みを書く欄と実際に漢字を書いて練習する升目があり、その基本的な用例が提示してある。2課毎に24字の新出漢字を提出した。

　　　新出漢字の使用例の語彙は全て『みんなの日本語初級Ⅰ・Ⅱ　第2版　本冊』に提出されているものから採用した。但し、以下の語彙は未提出だが、利用度の高い語とみなし、採用した。

　　　都（26課）、て形・技術（29・30課）、市・区（31・32課）、光・光る（33・34課）、禁止形（35・36課）、ブラジル産・説明会・進学する・進学説明会（41・42課）

　　　　　　＊本冊問題読解のみに提出されている語彙

　　　　　　大人（39・40課）、飛ぶ（45・46課）、化粧（47・48課）、

　　　　　　進む・男性・女性（49・50課）

　　　　　　その他、地名・人名などの固有名詞

　　　欄外にある★のついた漢字は、漢字は既習だが、読みが新出のものである（『初級Ⅰ　第2版　漢字練習帳』を含める）。漢字シートでは扱っていない漢字を使った語彙が含

まれている場合もある。★一つは、2回目に出てきた漢字、★二つは、3回目に出てきた漢字（以下星の数が増えるごとに、回数が増える）となっている。

　なお、本冊では「私」は「わたくし」の読み方のみで「わたし」はひらがなで表記されているが、本書では両方の読み方を採用している。また、「ご飯」も本冊ではひらがなで表記されている。

② 読み練習、書き練習
　提出されている語彙及び例文は、その課で学習する項目、または既習の学習項目に準拠している。また、既習の漢字を繰り返し提出し、より確実な定着がはかれるようになっている。未習の漢字にはルビをふり、同ページに2回以上出てくる未習漢字には最初のものだけにルビをつけた。

　　読み練習、書き練習は、より漢字の定着度が増すように同じ例文にしてある。読み練習と書き練習のページを分け、添削後もファイルし易いように配慮した。

③ 復習テスト
　6～7課毎に復習テストを、最後にまとめテストを設けた。テストはステップ1を50題、ステップ2を100題にし、到達度が測れるように点数化した。
　また、ステップ2は問題用紙と解答用紙が別になっているので、問題は繰り返し使用することができる。

2　漢字索引

　本書および『初級Ⅰ　第2版　漢字練習帳』で取り上げた漢字を音読み（訓読みしかないものは訓読み）で五十音順に並べた。それぞれ『日本語能力試験出題基準［改訂版］』の級、新出課、既習漢字の新出読みと掲載ページが示してある。但し、『初級Ⅰ　第2版　漢字練習帳』で提出されている漢字はⅠと表示した。

3　解答

　漢字シートの例文の漢字の読み、及び読み練習、書き練習、復習テスト、まとめテストの解答は別冊に掲載した。

本書の使い方

　漢字シート、読み練習、書き練習、復習テストは1枚ずつ切り離して使用することができるので、それぞれを教師に提出しながら進められる。教師が進度に合わせて、必要なページを切り離して配布していくことも可能である。いずれの場合も、学習終了時に、添削済みの教材がファイルされたものがそれぞれの学習者の手元に残ることになる。

　各課並びに復習・まとめテストは難易度に応じてステップ1、ステップ2に分かれているので、学習者の学習期間、レベルなどを考慮して、どのように使用するか決めていただきたい。

例えば次の表のようなやり方もある。

	シート		読み練習		書き練習	
	ステップ1	ステップ2	ステップ1	ステップ2	ステップ1	ステップ2
例1	○		○		○	
例2	○	○	○		○	
例3	○	○	○	○	○	
例4	○	○	○	○	○	○

＊例2　漢字シートはステップ1・2の両方を選択し、読み練習・書き練習はステップ1のみ選択する。

1　漢字シート

教室で教師がクラスのレベルに応じて指導することが望まれる。巻末の索引を参考に提示する音・訓を選定していただきたい。

2　読み練習、書き練習

別々に学習させる、照らし合わせながら学習させるなど、クラスの進度やレベルに応じて使い分けることができる。宿題にしてもよい。

3　復習テスト・まとめテスト

テスト形式をとっているので、定着度の確認に使用できる。教材配布まえにこの部分だけ切り離して教師が保管しておけば、テストとしても使用できる。

留意点

① 未習の漢字にはルビをふった。但し漢字シートでは、原則として「交通（こう　　）」のようにした。

② 質問に対する答えは……で示した。

③ 漢字シートの各漢字の左上にある数字は、それぞれの課の中での漢字の番号である。解答は、この数字に対応している。

④ 漢字シートの各欄の右にある数字は、『初級Ⅰ　第2版　漢字練習帳』からの提出漢字の通し番号である。漢字シートの欄外では漢字の読みの右上に記してあり、漢字シートと対応させて学習できる。

⑤ 熟字訓には※印をつけた。

⑥ ステップ2で学習する漢字がステップ1にある場合、その漢字にはルビをふり、ステップ1だけを学ぶ学習者への便宜をはかった。

提出漢字一覧

課	ステップ	漢字
26課	ステップ1	²¹⁹悪 ²²⁰急 ²²¹去 ²²²紙 ²²³県 ²²⁴都 ²²⁵合 ²²⁶速 ²²⁷直
	ステップ2	²²⁸接 ²²⁹湯 ²³⁰探 ²³¹平 ²³²寺 ²³³勝 ²³⁴負 ²³⁵願 ²³⁶座 ²³⁷眠 ²³⁸狭 ²³⁹甘 ²⁴⁰辛 ²⁴¹卵 ²⁴²拾
27・28課	ステップ1	²⁴³業 ²⁴⁴鳥 ²⁴⁵通 ²⁴⁶味 ²⁴⁷運 ²⁴⁸転 ²⁴⁹力 ²⁵⁰色 ²⁵¹具
	ステップ2	²⁵²取 ²⁵³荷 ²⁵⁴簡 ²⁵⁵単 ²⁵⁶覚 ²⁵⁷販 ²⁵⁸忙 ²⁵⁹給 ²⁶⁰実 ²⁶¹涼 ²⁶²将 ²⁶³夢 ²⁶⁴疲 ²⁶⁵痛 ²⁶⁶彼
29・30課	ステップ1	²⁶⁷地 ²⁶⁸走 ²⁶⁹集 ²⁷⁰研 ²⁷¹究 ²⁷²曜 ²⁷³重 ²⁷⁴池 ²⁷⁵形
	ステップ2	²⁷⁶横 ²⁷⁷橋 ²⁷⁸決 ²⁷⁹非 ²⁸⁰常 ²⁸¹忘 ²⁸²置 ²⁸³授 ²⁸⁴技 ²⁸⁵術 ²⁸⁶資 ²⁸⁷類 ²⁸⁸復 ²⁸⁹植 ²⁹⁰机
31・32課	ステップ1	²⁹¹東 ²⁹²西 ²⁹³南 ²⁹⁴北 ²⁹⁵市 ²⁹⁶風 ²⁹⁷夕 ²⁹⁸空 ²⁹⁹区
	ステップ2	³⁰⁰晴 ³⁰¹星 ³⁰²熱 ³⁰³約 ³⁰⁴束 ³⁰⁵辞 ³⁰⁶練 ³⁰⁷返 ³⁰⁸最 ³⁰⁹続 ³¹⁰角 ³¹¹込 ³¹²申 ³¹³格 ³¹⁴予
33・34課	ステップ1	³¹⁵薬 ³¹⁶服 ³¹⁷質 ³¹⁸光 ³¹⁹閉 ³²⁰番 ³²¹号 ³²²交 ³²³危
	ステップ2	³²⁴席 ³²⁵戻 ³²⁶払 ³²⁷無 ³²⁸失 ³²⁹礼 ³³⁰黄 ³³¹苦 ³³²末 ³³³逃 ³³⁴規 ³³⁵則 ³³⁶守 ³³⁷歯 ³³⁸並
35・36課	ステップ1	³³⁹同 ³⁴⁰治 ³⁴¹所 ³⁴²暑 ³⁴³寒 ³⁴⁴便 ³⁴⁵利 ³⁴⁶泳 ³⁴⁷活
	ステップ2	³⁴⁸向 ³⁴⁹困 ³⁵⁰丸 ³⁵¹機 ³⁵²曲 ³⁵³皆 ³⁵⁴違 ³⁵⁵務 ³⁵⁶客 ³⁵⁷島 ³⁵⁸信 ³⁵⁹遅 ³⁶⁰許 ³⁶¹可 ³⁶²禁

²¹⁹←提出漢字の通し番号。漢字シートの各欄の右にある数字と一致。
悪
3←『日本語能力試験出題基準 [改訂版]』の級。（4は現在のN5、3は現在のN4、2は現在のN3-N2に相当）

課	ステップ	漢字
37・38課	ステップ1	発(363) 工(364) 飯(365) 台(366) 題(367) 待(368) 米(369) 村(370) 注(371)
	ステップ2	港(372) 宿(373) 捨(374) 輸(375) 招(376) 呼(377) 原(378) 慣(379) 頼(380) 成(381) 法(382) 退(383) 参(384) 加(385) 岸(386)
39・40課	ステップ1	代(387) 死(388) 首(389) 結(390) 婚(391) 式(392) 全(393) 次(394) 以(395)
	ステップ2	必(396) 要(397) 絶(398) 対(399) 然(400) 難(401) 残(402) 念(403) 複(404) 雑(405) 汚(406) 表(407) 倒(408) 故(409) 確(410)
41・42課	ステップ1	説(411) 進(412) 産(413) 園(414) 公(415) 案(416) 内(417) 石(418) 油(419)
	ステップ2	化(420) 和(421) 健(422) 康(423) 暖(424) 情(425) 報(426) 的(427) 紹(428) 介(429) 経(430) 済(431) 律(432) 相(433) 談(434)
43・44課	ステップ1	回(435) 起(436) 頭(437) 短(438) 低(439) 軽(440) 洗(441) 洋(442) 別(443)
	ステップ2	幸(444) 笑(445) 泣(446) 静(447) 変(448) 増(449) 減(450) 倍(451) 祖(452) 薄(453) 厚(454) 政(455) 美(456) 連(457) 絡(458)
45・46課	ステップ1	卒(459) 引(460) 越(461) 太(462) 細(463) 働(464) 押(465) 好(466) 冷(467)
	ステップ2	寝(468) 受(469) 付(470) 飛(471) 船(472) 階(473) 段(474) 値(475) 役(476) 初(477) 優(478) 因(479) 論(480) 途(481) 係(482)
47・48課	ステップ1	声(483) 暗(484) 弱(485) 遠(486) 野(487) 反(488) 伝(489) 若(490) 両(491)
	ステップ2	遊(492) 選(493) 球(494) 育(495) 温(496) 燃(497) 吹(498) 落(499) 届(500) 賛(501) 恋(502) 庭(503) 妻(504) 夫(505) 由(506)
49・50課	ステップ1	京(507) 私(508) 乗(509) 菜(510) 吸(511) 記(512) 雪(513) 絵(514) 消(515)
	ステップ2	奥(516) 渡(517) 泊(518) 酒(519) 定(520) 例(521) 調(522) 支(523) 過(524) 勤(525) 宅(526) 製(527) 性(528) 様(529) 感(530)

初級I　第2版　漢字練習帳

数	一 二 三 四 五 六 七 八 九 十
1・2課	人 名 方 本 日 何 大 学 社 員 会 先 生 行 来 車
3・4課	百 千 万 円 毎 時 分 半 国 月 火 水 木 金 土 書
5・6課	友 年 今 週 休 前 午 後 校 帰 見 聞 読 食 飲 買
7・8課	母 父 物 朝 昼 夜 晩 町 山 白 赤 青 黒 安 高 小
9・10課	男 女 上 下 左 右 中 門 間 近 魚 手 犬 早 計 外
11・12課	兄 弟 姉 妹 家 族 春 夏 秋 冬 気 天 多 少 元 歩
13・14課	入 出 広 止 雨 開 海 川 世 界 画 映 花 茶 語 英
15・16課	体 足 口 顔 耳 目 立 知 住 思 使 作 品 長 明 肉
17・18課	問 答 心 配 子 売 場 字 漢 料 理 主 着 新 古 持
19・20課	電 話 音 楽 歌 度 教 習 貸 借 送 強 勉 旅 室 登
21・22課	不 始 言 意 事 仕 病 院 医 者 堂 屋 用 有 店 民
23・24課	正 銀 図 館 道 自 動 建 特 終 駅 写 真 牛 林 森
25課	田 考 親 切 試 験 部 文 歳 留 議 散 浴 降 欲 億

目<ruby>目<rt>もく</rt></ruby>　<ruby>次<rt>じ</rt></ruby>

26課

名前 ＿＿＿＿＿＿＿

ステップ1

1 悪　訓＿＿＿＿　音＿＿＿＿
悪 □□□□□　219
天気が 悪(　　)い。

2 急　訓＿＿＿＿　音＿＿＿＿
急 □□□□　220
少し 急(　　)ぐ。　急行(　　　　)

3 去　訓＿＿＿＿　音＿＿＿＿
去 □□□□　221
去年(　　　　)

4 紙　訓＿＿＿＿　音＿＿＿＿
紙 □□□□　222
大きい 紙(　　)　手紙(　　　)

5 県　訓＿＿＿＿　音＿＿＿＿
県 □□□□　223
千葉県(ちば　　)

6 都　訓＿＿＿＿　音＿＿＿＿
都 □□□□　224
東京都(とうきょう　)　都合

7 合　訓＿＿＿＿　音＿＿＿＿
合 □□□□　225
間(　)に 合(　)う。　都合(　　)　試合(　　　)

8 速　訓＿＿＿＿　音＿＿＿＿
速 □□□□　226
速(　　)い 車

9 直　訓＿＿＿＿　音＿＿＿＿
直 □□□□　227
故障を 直(　　)す。

間に 合う(まにあう)83　　国会議事堂(こっかいぎじどう)35

1

ステップ2

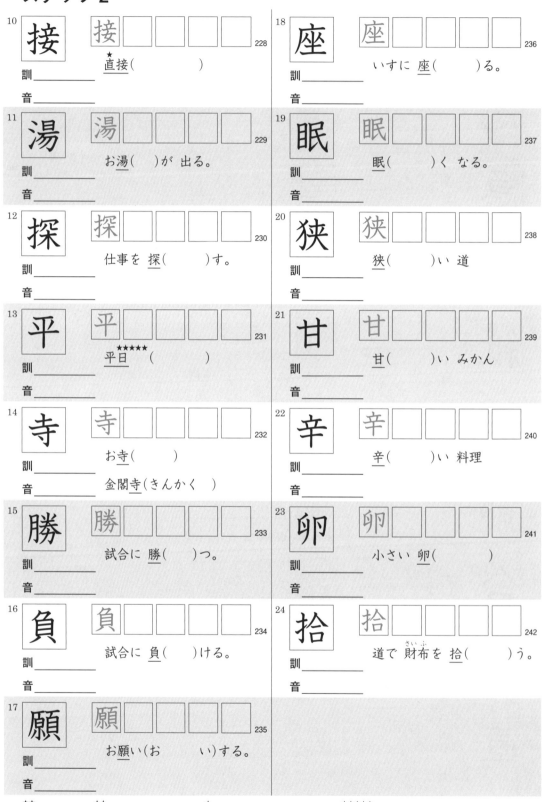

10	接 訓＿＿＿ 音＿＿＿	接□□□□ 228 ★直接( )
11	湯 訓＿＿＿ 音＿＿＿	湯□□□□ 229 お湯( )が 出る。
12	探 訓＿＿＿ 音＿＿＿	探□□□ 230 仕事を 探( )す。
13	平 訓＿＿＿ 音＿＿＿	平□□□□ 231 平日★★★★★( )
14	寺 訓＿＿＿ 音＿＿＿	寺□□□□ 232 お寺( ) 金閣寺(きんかく)
15	勝 訓＿＿＿ 音＿＿＿	勝□□□□ 233 試合に 勝( )つ。
16	負 訓＿＿＿ 音＿＿＿	負□□□□ 234 試合に 負( )ける。
17	願 訓＿＿＿ 音＿＿＿	願□□□ 235 お願い(お い)する。
18	座 訓＿＿＿ 音＿＿＿	座□□□□ 236 いすに 座( )る。
19	眠 訓＿＿＿ 音＿＿＿	眠□□□□ 237 眠( )く なる。
20	狭 訓＿＿＿ 音＿＿＿	狭□□□ 238 狭( )い 道
21	甘 訓＿＿＿ 音＿＿＿	甘□□□□ 239 甘( )い みかん
22	辛 訓＿＿＿ 音＿＿＿	辛□□□ 240 辛( )い 料理
23	卵 訓＿＿＿ 音＿＿＿	卵□□□□ 241 小さい 卵( )
24	拾 訓＿＿＿ 音＿＿＿	拾□□□□ 242 道で 財布を 拾( )う。

★★家(いえ)95　★★会社(かいしゃ)19　★直接(ちょくせつ)227　平日★★★★★(へいじつ)15

26 課　　ステップ1　読み練習　　名前 ＿＿＿＿＿＿＿＿

① 去年の 夏休みに スイスへ 行きました。山が きれいでしたよ。

② 3時の 急行に 間に 合いますか。

　　……ええ。少し 急ぎましょう。

● ③ わたしは 今晩の パーティーに 行きません。都合が 悪いんです。

④ 紙が 欲しいんですが、1枚<ruby>枚<rt>まい</rt></ruby> いただけませんか。

　　……はい、これを どうぞ。

⑤ 日曜日の サッカーの 試合は 天気が 悪くても、やります。

⑥ 東京都は 神奈川県と 埼玉県の 間に あります。

● ⑦ 図書館まで 行きたいんですが、バスと 電車と どちらが 速いと 思いますか。

　　……電車の ほうが 速いと 思います。

⑧ 先生、日本語で 手紙を 書いたんですが、ちょっと 見て いただけませんか。

　　……ええ、いいですよ。

⑨　パソコンが 故障<ruby>故障<rt>こしょう</rt></ruby>したら、どう しますか。

　　　……電気屋へ 持って 行って、直して もらいます。

⑩　★★★
　国会議事堂へ 行きたいんですが、どの 駅で 降りたら いいですか。

4

ステップ1　書き練習　名前＿＿＿＿＿＿＿＿

① <u>きょねんの</u> <u>なつやすみ</u>に スイスへ 行きました。山が きれいでしたよ。

② 3時の <u>きゅうこう</u>に <u>まに あい</u>ますか。
　　　　　　　　　　　　に

　……ええ。少し <u>いそぎ</u>ましょう。

● ③ わたしは <u>こんばん</u>の パーティーに 行きません。<u>つごう</u>が <u>わるい</u>んです。

④ <u>かみ</u>が <u>ほしい</u>んですが、1<u>枚</u>(まい) いただけませんか。

　……はい、これを どうぞ。

⑤ 日曜日(よう)の サッカーの <u>しあい</u>は <u>てんき</u>が わるくても、やります。

⑥ 東京(とうきょう)<u>と</u>は 神奈川(かながわ)けんと 埼玉(さいたま)けんの <u>あいだ</u>に あります。

● ⑦ <u>としょかん</u>まで 行きたいんですが、バスと <u>でんしゃ</u>と どちらが <u>はやい</u>と

思いますか。

　……でんしゃの ほうが はやいと 思います。

⑧ 先生、日本語(にほん)で <u>てがみ</u>を 書いたんですが、ちょっと 見て いただけませんか。

　……ええ、いいですよ。

⑨ パソコンが 故障したら、どう しますか。

　　……でんきやへ もって 行って、なおして もらいます。

⑩ こっかいぎじどうへ 行きたいんですが、どの 駅で おりたら いいですか。

① この 写真、すてきですね。どこで 撮ったんですか。

　　……金閣寺で 撮りました。

② あしたの 試合に 負けても、テニスを やめません。

● ③ イーさんの 前に 座って いる 人を 知って いますか。

　　……イーさんの 奥さんだと 思います。

④ お寺を 見学したいんですが、どう したら いいですか。

　　……直接 行ったら いいですよ。平日は いつでも 見る ことが できます。

⑤ きのう 初めて タイ料理を 食べました。

● 　　……どうでしたか。

　　とても 辛かったですが、おいしかったです。

⑥ 今の 家は 狭いですから、引っ越ししたいです。

⑦ あさっての サッカーは ブラジルと 日本と どちらが 勝つと 思いますか。

⑧ お湯が 出ないんですが…。

　　……ガス会社に 連絡しましょうか。

　　すみません。お願いします。

⑨ 生け花を 習いたいんですが、いい 先生を 紹介して いただけませんか。

　　……わたしも いい 先生を 探して いるんです。

⑩ わたしが いつも 買い物する スーパーは 卵が とても 安いんです。

⑪ おなかが いっぱいです。眠く なりました。

⑫ どうして 甘い お菓子を 食べないんですか。

　　……今 ダイエットを して いるんです。

⑬ 妹が 公園で 猫を 拾いました。

26課　ステップ2　書き練習　名前 _____

① この しゃしん、すてきですね。どこで 撮^とったんですか。

……金閣^{きんかく}じで 撮りました。

② あしたの しあいに まけても、テニスを やめません。

● ③ イーさんの まえに すわって いる 人を しって いますか。

……イーさんの 奥^{おく}さんだと 思います。

④ おてらを けんがくしたいんですが、どう したら いいですか。

……ちょくせつ 行ったら いいですよ。へいじつは いつでも 見る ことが

できます。

● ⑤ きのう 初^{はじ}めて タイ料理を 食べました。

……どうでしたか。

とても からかったですが、おいしかったです。

⑥ いまの いえは せまいですから、引^ひっ越^こししたいです。

⑦ あさっての サッカーは ブラジルと 日本^{にほん}と どちらが かつと 思いますか。

26

9

⑧　お<u>ゆ</u>が　<u>で</u>ないんですが…。

　　　……ガス<u>がいしゃに</u>　連絡しましょうか。

　　　すみません。お<u>ね</u>がいします。

⑨　生け花を　<u>なら</u>いたいんですが、いい　先生を　紹介して　いただけませんか。

　　　……わたしも　いい　先生を　<u>さが</u>して　いるんです。

⑩　わたしが　いつも　<u>かいもの</u>する　スーパーは　<u>たまご</u>が　とても　<u>やす</u>いんです。

⑪　おなかが　いっぱいです。<u>ねむ</u>く　なりました。

⑫　どうして　<u>あまい</u>　お菓子を　食べないんですか。

　　　……いま　ダイエットを　して　いるんです。

⑬　<u>いもうと</u>が　公園で　猫を　<u>ひろ</u>いました。

名前 ＿＿＿＿＿＿＿＿

ステップ1

| | 1 | 業 | 訓 ＿＿＿＿ | 業 | | | | | 243 |
| 音 ＿＿＿＿ | 残業(ざん　)する。 |

2 鳥　訓 ＿＿＿＿　音 ＿＿＿＿　青い 鳥( )　244　鳥

● 3 通　訓 ＿＿＿＿　音 ＿＿＿＿　大学に 通( )う。　交通(こう)　245　通

4 味　訓 ＿＿＿＿　音 ＿＿＿＿　いい 味( )　意味( )　246　味

5 運　訓 ＿＿＿＿　音 ＿＿＿＿　運動会( )　247　運

6 転　訓 ＿＿＿＿　音 ＿＿＿＿　運転( )　248　転

● 7 力　訓 ＿＿＿＿　音 ＿＿＿＿　強い 力( )　249　力

8 色　訓 ＿＿＿＿　音 ＿＿＿＿　明るい 色( )　250　色

9 具　訓 ＿＿＿＿　音 ＿＿＿＿　家具( )　251　具

最近(さいきん)[84]　道具(どうぐ)[191]　調子(ちょうし)[143]　歌手(かしゅ)[159]　花火(はなび)[37]
品物(しなもの)[135]　開く(ひらく)[112]

11

ステップ 2

<table>
<tr><td>10 取
訓_____
音_____</td><td>取 □□□□ 252
休みを 取( )る。</td><td>18 実
訓_____
音_____</td><td>実 □□□ 260
実( )は</td></tr>
<tr><td>11 荷
訓_____
音_____</td><td>荷 □□□ 253
荷物( )</td><td>19 涼
訓_____
音_____</td><td>涼 □□□ 261
涼( )しい 日</td></tr>
<tr><td>12 簡
訓_____
音_____</td><td>簡 □□□ 254
簡単な ことば</td><td>20 将
訓_____
音_____</td><td>将 □□□ 262
将来( )</td></tr>
<tr><td>13 単
訓_____
音_____</td><td>単 □□□ 255
簡単( )な ことば</td><td>21 夢
訓_____
音_____</td><td>夢 □□□ 263
将来の 夢( )</td></tr>
<tr><td>14 覚
訓_____
音_____</td><td>覚 □□□ 256
漢字を 覚( )える。</td><td>22 疲
訓_____
音_____</td><td>疲 □□□ 264
足が 疲( )れる。</td></tr>
<tr><td>15 販
訓_____
音_____</td><td>販 □□□ 257
自動販売機(き)</td><td>23 痛
訓_____
音_____</td><td>痛 □□□ 265
頭が 痛( )い。</td></tr>
<tr><td>16 忙
訓_____
音_____</td><td>忙 □□□ 258
忙( )しい 人</td><td>24 彼
訓_____
音_____</td><td>彼 □□□ 266
彼( )
彼女(   )</td></tr>
<tr><td>17 給
訓_____
音_____</td><td>給 □□□ 259
給料(   )</td><td></td><td></td></tr>
</table>

自動販売機(じどうはんばいき)144   大変(たいへん)17   建てる(たてる)193   出張(しゅっちょう)108

12

① 海の 色を 見て。

　　……ああ、きれいですね。あ、白い 鳥が いますよ。

② マリアさんは どんな 男の 人が 好きですか。

　　……そうですね。背が 高くて、ハンサムで、力が 強い 人が 好きです。

③ 危ないですから、電話を かけながら 運転しないで ください。

④ いつも 自転車で 学校に 通って いるんですか。

　　……ええ。でも、雨の 日は 歩いて 行きます。

⑤ 新しい ホテルは 家具も すてきだし、サービスも いいです。

　　でも、ちょっと 交通が 不便です。

⑥ この ケーキ、いい 味ですね。あなたが 作ったんですか。

　　……はい。最近 道具を 買って、母に いろいろな ケーキの

　　作り方を 教えて もらって いるんです。

⑦ きょうは 残業が ありませんから、近くの 店で 飲みませんか。

……すみません。体の 調子が よくないんです。

⑧ 先生、この ことばの 意味が わからないんですが、教えて

いただけませんか。

⑨ この 歌、いいですね。

……ええ、インド人の 歌手が 歌って いるんです。

⑩ 日本の 花火は きれいですね。今年の 夏も 見に 行きたいです。

⑪ わたしが よく 行く スーパーは 品物が 多くて、安いです。

⑫ わたしの 兄は 4月に 絵の 教室を 開きます。

① うみの いろを 見て。

　　……ああ、きれいですね。あ、白い とりが いますよ。

② マリアさんは どんな 男の 人が 好きですか。

　　……そうですね。背が 高くて、ハンサムで、ちからが つよい 人が

　　好きです。

③ 危ないですから、電話を かけながら うんてんしないで ください。

④ いつも じてんしゃで 学校に かよって いるんですか。

　　……ええ。でも、雨の 日は あるいて 行きます。

⑤ 新しい ホテルは かぐも すてきだし、サービスも いいです。

　　でも、ちょっと 交つうが 不便です。

⑥ この ケーキ、いい あじですね。あなたが つくったんですか。

　　……はい。最きん どうぐを 買って、母に いろいろな ケーキの

　　つくりかたを おしえて もらって いるんです。

⑦　きょうは　残<ruby>ぎ<rt>ざん</rt></ruby>ょうが　ありませんから、近くの　みせで　飲みませんか。

　　……すみません。からだの　調<rt>ちょう</rt>しが　よくないんです。

⑧　先生、この　ことばの　いみが　わからないんですが、おしえて

　　いただけませんか。

⑨　この　うた、いいですね。

　　……ええ、インド人の　かしゅが　うたって　いるんです。

⑩　日本<rt>にほん</rt>の　はなびは　きれいですね。今年の　夏も　見に　行きたいです。

⑪　わたしが　よく　行く　スーパーは　しなものが　多くて、安いです。

⑫　わたしの　兄は　4月に　絵<rt>え</rt>の　教室を　ひらきます。

16

① 簡単な 漢字は すぐ 覚えられますが、難しいのは なかなか

覚えられません。

② 彼は まじめだし、ユーモアも あるし、それに とても 親切なんです。

● ③ どうして この 会社に 入ったんですか。

　　……給料も 高いし、長い 休みも ありますから。

④ 電気屋の 前に ある 自動販売機で ジュースが 買えますか。

　　……ええ、買えますよ。

⑤ 外国旅行は どうでしたか。

● 　　……実は とても 大変だったんです。飛行機も 遅れたし、天気も

悪かったし…。

⑥ わたしの 夢は いつか 静かで 景色が いい 林の 中に 家を 建てる

ことです。

⑦ あさってまでに 荷物が 着かなかったら、彼女に 電話して ください。

⑧ きのうの 夜 11時まで ★出張の 準備を しましたから、疲れました。

⑨ リーさん、どうして きのう 学校へ 来なかったんですか。

　　……朝から 頭が 痛かったんです。

⑩ 夏は 涼しい 部屋で テレビを 見ながら ゆっくり ビールを 飲みます。

⑪ 毎日 忙しいですから、遊びに 行けません。

⑫ 将来 大学で 教えながら いろいろな 動物の 研究を したいです。

① <u>かんたん</u>な <u>かんじ</u>は すぐ <u>おぼえ</u>られますが、<u>難</u>しいのは なかなか

おぼえられません。

② <u>かれ</u>は まじめだし、ユーモアも あるし、それに とても 親切なんです。

● ③ どうして この 会社に 入ったんですか。

　　……<u>きゅうりょう</u>も 高いし、長い 休みも ありますから。

④ <u>でんきや</u>の <u>まえ</u>に ある <u>じどうはんばい</u>機で ジュースが 買えますか。

　　……ええ、買えますよ。

⑤ <u>がいこくりょこう</u>は どうでしたか。

● 　　……<u>じつ</u>は とても <u>たい</u>変だったんです。飛行機も 遅れたし、<u>てんき</u>も

　　<u>わる</u>かったし…。

⑥ わたしの <u>ゆめ</u>は いつか 静かで 景色が いい <u>はやし</u>の <u>なか</u>に 家を <u>たて</u>る

ことです。

⑦ あさってまでに <u>にもつ</u>が <u>つ</u>かなかったら、<u>かのじょ</u>に 電話して ください。

19

⑧　きのうの　夜 11 時まで　しゅっ張の　準備を　しましたから、つかれました。

⑨　リーさん、どうして　きのう　学校へ　来なかったんですか。

　　……あさから　頭が　いたかったんです。

⑩　なつは　すずしい　部屋で　テレビを　見ながら　ゆっくり　ビールを　飲みます。

⑪　毎日　いそがしいですから、遊びに　行けません。

⑫　しょうらい　大学で　教えながら　いろいろな　どうぶつの　研究を

　　したいです。

名前 ＿＿＿＿＿＿＿＿

ステップ1

1	地	訓＿＿＿＿	地 □□□□	267
		音＿＿＿＿	地図（　　　）	
2	走	訓＿＿＿＿	走 □□□□	268
		音＿＿＿＿	駅まで 走（　　　）る。	
3	集	訓＿＿＿＿	集 □□□□	269
		音＿＿＿＿	切手を 集（　　　）める。	
4	研	訓＿＿＿＿	研 □□□□	270
		音＿＿＿＿	研究	
5	究	訓＿＿＿＿	究 □□□□	271
		音＿＿＿＿	研究（　　　　　）	
6	曜	訓＿＿＿＿	曜 □□□□	272
		音＿＿＿＿	水曜日（　　　　　）	
7	重	訓＿＿＿＿	重 □□□□	273
		音＿＿＿＿	重（　　　）い かばん	
8	池	訓＿＿＿＿	池 □□□□	274
		音＿＿＿＿	池（　　　）の 中 電池（　　　）	
9	形	訓＿＿＿＿	形 □□□□	275
		音＿＿＿＿	顔の 形（　　　）て形（　　）人形（　　　　）	

29
・
30

地下鉄（ちかてつ）78

21

ステップ2

10 横	横 □□□□ ²⁷⁶
訓＿＿＿＿	テーブルの 横( )
音＿＿＿＿	

18 技	技 □□□□ ²⁸⁴
訓＿＿＿＿	技術
音＿＿＿＿	

11 橋	橋 □□□□ ²⁷⁷
訓＿＿＿＿	長い 橋( )
音＿＿＿＿	

19 術	術 □□□□ ²⁸⁵
訓＿＿＿＿	技術( )
音＿＿＿＿	

12 決	決 □□□□ ²⁷⁸
訓＿＿＿＿	時間を 決( )める。
音＿＿＿＿	

20 資	資 □□□□ ²⁸⁶
訓＿＿＿＿	資料( )
音＿＿＿＿	

13 非	非 □□□□ ²⁷⁹
訓＿＿＿＿	非常時
音＿＿＿＿	

21 類	類 □□□□ ²⁸⁷
訓＿＿＿＿	書類( )
音＿＿＿＿	

14 常	常 □□□□ ²⁸⁰
訓＿＿＿＿	非常時( )
音＿＿＿＿	

22 復	復 □□□□ ²⁸⁸
訓＿＿＿＿	復習( )する。
音＿＿＿＿	

15 忘	忘 □□□□ ²⁸¹
訓＿＿＿＿	名前を 忘( )れる。
音＿＿＿＿	

23 植	植 □□□□ ²⁸⁹
訓＿＿＿＿	木を 植( )える。
音＿＿＿＿	

16 置	置 □□□□ ²⁸²
訓＿＿＿＿	部屋に ごみ箱を
音＿＿＿＿	置( )く。

24 机	机 □□□□ ²⁹⁰
訓＿＿＿＿	机( )の上
音＿＿＿＿	

17 授	授 □□□□ ²⁸³
訓＿＿＿＿	授業( )
音＿＿＿＿	

★真ん中(まんなか)¹⁹⁸　★花瓶(かびん)¹¹⁹　元(もと)¹⁰⁵

① たくさん 切手を 持って いるんですね。

……ええ。いろいろな 国の 切手を 集めて いるんです。ちょっと 見て

ください。これは 形が おもしろいですよ。

● ② 地下鉄は 便利ですが、外の 景色が 見えませんから、バスで 行きましょう。
（★てつ）（べんり）（けしき）

③ あの 公園の 池の 周りには 桜の 木が たくさん ありますよ。
（こうえん）（まわ）（さくら）

いっしょに お花見を しませんか。

……ええ、いいですね。

④ 山に 登る まえに、地図を よく 見て おかなければ なりません。

● ⑤ この 箱は ずいぶん 重いですね。何が 入って いるんですか。
（はこ）

……母に もらった 料理の 道具です。

⑥ 3月3日は 女の 子の お祭りです。部屋に きれいな 人形を 飾ります。
（まつ）（かざ）

⑦ 来週の 火曜日までに 今度の 研究で 使う 資料を 調べて おいて ください。
（し）（しら）

⑧　ハンス君、どう したんですか。

　　……左の 足が 痛く なったんです。

　　走れませんか。

　　……ええ。ちょっと 無理です。

⑨　「帰る」の て形は 何ですか。

　　……「帰って」です。

⑩　新しい 電池は もう 買いました。

① たくさん きってを 持って いるんですね。

　　……ええ。いろいろな 国の きってを あつめて いるんです。ちょっと 見て

　　ください。これは かたちが おもしろいですよ。

● ② ちか鉄は 便利ですが、そとの 景色が 見えませんから、バスで 行きましょう。

③ あの 公園の いけの 周りには 桜の 木が たくさん ありますよ。

　　いっしょに おはなみを しませんか。

　　……ええ。いいですね。

④ 山に のぼる まえに、ちずを よく 見て おかなければ なりません。

● ⑤ この 箱は ずいぶん おもいですね。何が はいって いるんですか。

　　……ははに もらった りょうりの どうぐです。

⑥ 3月3日は おんなの 子の お祭りです。部屋に きれいな にんぎょうを

飾ります。

⑦　来週の かようびまでに こんどの けんきゅうで 使う 資料を 調べて おいて

　　ください。

⑧　ハンス君、どう したんですか。

　　……ひだりの 足が いたく なったんです。

　　はしれませんか。

　　……ええ。ちょっと 無りです。

⑨　「帰る」の てけいは 何ですか。

　　……「帰って」です。

⑩　あたらしい でんちは もう 買いました。

① 今度の 出張の ときに、泊まる ホテルは もう 決めました。

② 授業で 習った 漢字を 家で もう 一度 復習して おいて ください。

③ 机の 上に 何が 並べて あるんですか。

● ……新しい 技術で 造った 製品の カタログです。

④ これは 非常袋です。非常時に 使う 物を 入れて おく 袋です。

⑤ きょうの 会議で 使う 資料を うちに 忘れて しまいました。

⑥ テーブルの 真ん中に 花瓶が 置いて あります。

⑦ 使った 書類は 元の 所に 戻して おいて ください。

● ⑧ 今 降りた タクシーに 忘れ物を して しまいました。

⑨ ごみは 門の 横に ある ごみ置き場に 出して ください。

⑩ 庭に きれいな 花が たくさん 植えて あります。

⑪ あの 橋を 渡って、まっすぐ 行くと、右に スーパーが あります。

① 今度の しゅっ張の ときに、泊まる ホテルは もう きめました。

② じゅぎょうで ならった かんじを 家で もう 一度 ふくしゅうして おいて

ください。

● ③ つくえの 上に 何が 並べて あるんですか。

　　……新しい ぎじゅつで 造った 製ひんの カタログです。

④ これは ひじょう袋です。ひじょう時に 使う 物を 入れて おく 袋です。

⑤ きょうの かいぎで 使う しりょうを うちに わすれて しまいました。

⑥ テーブルの まんなかに か瓶が おいて あります。

● ⑦ 使った しょるいは もとの 所に 戻して おいて ください。

⑧ 今 おりた タクシーに わすれものを して しまいました。

⑨ ごみは もんの よこに ある ごみおきばに 出して ください。

⑩ 庭に きれいな 花が たくさん うえて あります。

⑪ あの はしを 渡って、まっすぐ 行くと、みぎに スーパーが あります。

名前 ＿＿＿＿＿＿＿＿＿

ステップ1

| 1 | 東 | 訓 ＿＿＿＿ | 東 □□□□ | 291 |
| | | 音 ＿＿＿＿ | 東( )の窓 東京(きょう) | |

| 2 | 西 | 訓 ＿＿＿＿ | 西 □□□□ | 292 |
| | | 音 ＿＿＿＿ | 西( )の山 | |

● | 3 | 南 | 訓 ＿＿＿＿ | 南 □□□□ | 293 |
| | | 音 ＿＿＿＿ | 南( )の海 | |

| 4 | 北 | 訓 ＿＿＿＿ | 北 □□□□ | 294 |
| | | 音 ＿＿＿＿ | 北( )の国 北海道( ) | |

| 5 | 市 | 訓 ＿＿＿＿ | 市 □□□□ | 295 |
| | | 音 ＿＿＿＿ | 市役所(やくしょ) | |

| 6 | 風 | 訓 ＿＿＿＿ | 風 □□□□ | 296 |
| | | 音 ＿＿＿＿ | 強い風( ) | |

● | 7 | 夕 | 訓 ＿＿＿＿ | 夕 □□□□ | 297 |
| | | 音 ＿＿＿＿ | 夕方( ) | |

| 8 | 空 | 訓 ＿＿＿＿ | 空 □□□□ | 298 |
| | | 音 ＿＿＿＿ | 青い空( ) 空港(こう) | |

| 9 | 区 | 訓 ＿＿＿＿ | 区 □□□□ | 299 |
| | | 音 ＿＿＿＿ | 新宿区(しんじゅく) | |

北海道(ほっかいどう)¹¹³ 夕方(ゆうがた)¹³ 連休(れんきゅう)⁴⁷

31

ステップ2

10 晴
晴 □□□□ 300
訓_____
音_____
空が 晴(　　)れる。

11 星
星 □□□□ 301
訓_____
音_____
星(　　)が 見える。

12 熱
熱 □□□□ 302
訓_____
音_____
熱(　)が ある。 熱(　)い
お茶 熱心(　　)な 学生

13 約
約 □□□□ 303
訓_____
音_____
予約(よ　　)

14 束
束 □□□□ 304
訓_____
音_____
約束(　　　)

15 辞
辞 □□□□ 305
訓_____
音_____
辞書(　　　)

16 練
練 □□□□ 306
訓_____
音_____
練習(　　　)

17 返
返 □□□□ 307
訓_____
音_____
本を 返(　　)す。

18 最
最 □□□□ 308
訓_____
音_____
最近(　　　)

19 続
続 □□□□ 309
訓_____
音_____
話を 続(　　)ける。

20 角
角 □□□□ 310
訓_____
音_____
角(　　　)を 曲がる。

21 込
込 □□□□ 311
訓_____
音_____
道が 込(　　)む。

22 申
申 □□□□ 312
訓_____
音_____
申し込(　　し　)む。

23 格
格 □□□□ 313
訓_____
音_____
試験に 合格(　　　)する。

24 予
予 □□□□ 314
訓_____
音_____
予定(　　てい)

★入学試験(にゅうがくしけん)107　今★夜(こんや)64

32

① 東の 空は まだ 曇って いますが、西の 空は 少し 明るく なりましたよ。

夕方には 雨が やむでしょう。

② 今年の 7月に ヨーロッパの 北を 旅行しようと 思って いるんです。

……いいですね。きれいな 花が たくさん 見られると 思いますよ。

③ あしたは 南から 天気が 悪く なります。午後には 雨や 風が

強く なるでしょう。

④ 大阪の 空港まで どうやって 行くんですか。

……東京駅から 新幹線で 行きます。

⑤ あした 市役所へ 保険証を 取りに 行く つもりです。

⑥ 今度の 連休に 北海道で スキーを しようと 思って います。

⑦ わたしが 通って いる 学校は 新宿区に あります。

① ひがしの そらは まだ 曇って いますが、にしの そらは 少し あかるく

なりましたよ。ゆうがたには あめが やむでしょう。

② 今年の 7月に ヨーロッパの きたを りょこうしようと 思って

いるんです。

……いいですね。きれいな 花が たくさん 見られると 思いますよ。

③ あしたは みなみから てんきが わるく なります。ごごには あめや かぜが

強く なるでしょう。

④ 大阪の くう港まで どうやって 行くんですか。

……とう京えきから 新幹線で 行きます。

⑤ あした し役所へ 保険証を とりに 行く つもりです。

⑥ 今度の 連きゅうに ほっかいどうで スキーを しようと 思って います。

⑦ わたしが かよって いる 学校は 新宿くに あります。

① 3日ほど 高い 熱が 続いて います。

……インフルエンザかも しれませんね。病院へ 行った ほうが いいですよ。

② タワポンさんは 最近 よく 勉強して いますから、★入学試験に きっと

● 合格するでしょう。

③ 2つ目の 角を 左へ 曲がると、美術館が 見えます。

④ リーさんは 国へ 帰って、大学院で 今の 研究を 続けます。

⑤ 来月 ピカソの 絵を 見に スペイン旅行に 行きます。

きのう 申し込みました。

●⑥ けさ 電車が 込んで いて、座れませんでした。あしたは もっと 早く

家を 出ようと 思います。

⑦ 日曜日に 海で 釣りを する 予定です。

⑧ リーさんは テニスの 練習に 来ますか。

……いいえ、来ないでしょう。きょうは 残業が ある 日ですから。

⑨ 空が よく 晴れて いますから、今夜は 星が たくさん 見えるでしょう。

⑩ 駅の 近くの ホテルを 予約しようと 思って います。

⑪ 今 教室で 日本の 経済に ついて 話して いる 先生が ワット先生ですか。

　　……ええ、そうです。あの 先生は おもしろいし、熱心だし、学生に とても

　　　人気が あるんですよ。

⑫ 寒い ときは、熱い お茶が おいしいですね。

⑬ 約束の 時間に 間に 合わないかも しれませんから、電話を かけます。

⑭ 難しい 漢字は 辞書で 調べる つもりです。

⑮ 日本へ 来る とき、友達が お金を 貸して くれました。

　　……親切な 友達ですね。

　　ええ。あした 借りた お金を 返す つもりです。

① 3日ほど 高い ねつが つづいて います。

……インフルエンザかも しれませんね。びょういんへ 行った ほうが

いいですよ。

● ② タワポンさんは さいきん よく 勉強して いますから、にゅうがくしけんに

きっと ごうかくするでしょう。

③ 2つ目の かどを 左へ 曲がると、美術かんが 見えます。

④ リーさんは 国へ 帰って、だいがくいんで 今の けんきゅうを つづけます。

⑤ らいげつ ピカソの 絵を 見に スペインりょこうに 行きます。きのう

● もうしこみました。

⑥ けさ でんしゃが こんで いて、すわれませんでした。あしたは もっと 早く

家を 出ようと 思います。

⑦ にちようびに うみで 釣りを する よ定です。

⑧　リーさんは テニスの れんしゅうに 来ますか。

　　……いいえ、来ないでしょう。きょうは 残ぎょうが ある 日ですから。

⑨　そらが よく はれて いますから、こんやは ほしが たくさん 見えるでしょう。

⑩　駅の 近くの ホテルを よやくしようと 思って います。

⑪　今 きょうしつで 日本の 経済に ついて 話して いる 先生が

　　ワット先生ですか。

　　……ええ、そうです。あの 先生は おもしろいし、ねっしんだし、学生に

　　　　とても にんきが あるんですよ。

⑫　寒い ときは、あつい お茶が おいしいですね。

⑬　やくそくの 時間に まに あわないかも しれませんから、電話を かけます。
　　　　　　　　　　に

⑭　難しい 漢字は じしょで 調べる つもりです。

⑮　日本へ 来る とき、友達が お金を かして くれました。

　　……しんせつな 友達ですね。

　　ええ。あした かりた お金を かえす つもりです。

I　　　　　　　　　　　　　　　　　　　　　　　　　　　2×25

① 4月から 千葉県に ある 大学に 通います。
　　　　　　 1　　　　　　　　　2

② 去年 転勤で 東京へ 来ました。いつも 東京都の 地図を 見ながら
　 3　　　　 4　　　　　　　　　　　　　5　　　 6

　運転して いますが、周りの 車が 速いですから、大変です。
　7　　　　　　　　　　　　　　8

③ 8時15分の 急行に 乗りましょう。走ったら、間に 合うと 思います。
　　　　　　 9　　　 10　　　　　　　　 11

④ この 店で 売って いる 品物は いいです。
　　　　　　　　　　　 12

⑤ 8時まで 残業して、ずっと パソコンを 使って いました。
　　　　　 13

⑥ 日本語で 手紙を 書いたんですが、見て いただけませんか。
　　　　　 14

⑦ 日本は ほんとうに 交通が 便利です。でも、いつも みんな 急いで いますね。
　　　　　　　　　 15　　　　　　　　　　　　　　　 16

⑧ きのう 学校を 休みました。体の 調子が 悪かったんです。
　　　　　　　　　　　　　　 17　　 18

⑨ きのう 新宿区の プールへ 行きました、それから 花火を 見ました。
　　　　 19　　　　　　　　　　　　　　　　 20

⑩ あした 都合が よかったら、コンサートに 行きませんか。わたしの 国の 有名な
　　　 21

　歌手の コンサートです。
　 22

⑪ 帰る ときは、公園の 東の 門から 出ると、地下鉄の 駅へ 行けます。
　　　　　　　　　 23　 24　　　　　　 25

1	2	3	4
5	6	7	8
9	10	11　　に	12
13	14	15	16
17	18	19	20
21	22	23	24
25			

復
1

① この かばん、<u>いろ</u>と <u>かたち</u>は いいですが、ちょっと <u>おもい</u>ですね。
           1   2   3

② <u>そら</u>が 暗く なりました。傘を 持って 行った ほうが いいですよ。
  4   かさ

③ きょうは <u>ゆうがた</u>から <u>みなみ</u>の <u>かぜ</u>が 強く なるでしょう。
          5   6   7

④ わたしの 弟は 中国の <u>きた</u>に 住んで います。スポーツが 好きで、僕より
          ちゅうごく 8   ぼく

  <u>ちから</u>が 強いです。
   9

⑤ いろいろな 国の <u>にんぎょう</u>を <u>あつめて</u> います。
            10   11

⑥ <u>いけ</u>の 近くに きれいな <u>とり</u>が います。
  12   13

⑦ <u>げつようび</u>に <u>し</u>役所へ 行った あとで、姉と <u>かぐ</u>を 買いに 行きました。
   14   15 やくしょ   16

⑧ <u>くう</u>港の <u>にし</u>に さいきん <u>あたらし</u>い ホテルが できました。
  17   18   19
  こう

⑨ 国へ 帰っても、<u>けんきゅう</u>を 続けようと 思って います。
           20   つづ

⑩ この 店の カレーは <u>あじ</u>も いいし、安いです。
            21

⑪ この <u>かんじ</u>の <u>いみ</u>が わからないんですが、<u>おしえて</u> いただけませんか。
   22   23   24

  下の 問題の 答えも <u>なおして</u> いただきたいんですが。
     だい   25

1	2	3	4
5	6	7	8
9	10	11	12
13	14	15	16
17	18	19	20
21	22	23	24
25			

Ⅰ　　　　　　　　　　　　　　　　　　　　　　　　　　　　　　1×60

① チンさんは とても 熱心な 学生です。うちへ 帰ってから、いつも 復習して
　　　　　　　　　　　　　1　　　　　　　　　　　　　　　　　　　　　　　2

いますから、授業で 習った ことを よく 覚えて います。
　　　　　　3　　　4　　　　　　　　　　5

② 疲れて、眠く なりましたね。熱い コーヒーでも 飲みましょう。
　　6　　　7　　　　　　　　　8

③ 田中さん、ここに お湯が あります。あそこの いすに 座って いる 方に
　た なか　　　　　　　　9　　　　　　　　　　　　　　　　　10　　　　　11

お茶を お願いします。
　12　　13

④ 入学試験に 合格しました。大学に 入ったら、経済を 勉強します。
　　14　　　15　　　　　　　　　16　　けいざい

⑤ 先週 勝った チームと 来週 試合を します。負けたくないですから、みんな 毎日
　　　17　　　　　　　　　　18　　　　　19

練習して います。
　20

⑥ 夢は 何ですか。
　21

　……甘い 物が 好きですから、勉強して 将来 ケーキの 店を 持ちたいです。
　　　22　す　　　　　　　　　　　　23　　　　　　　　24

⑦ 壁に はって ある カレンダーに 会議の 予定が 書いて あります。
　かべ　　　　　　　　　　　　　　25　　26 てい

⑧ 日本へ コンピューターの 技術の 勉強に 行きます。両親と 話して、決めました。
　に ほん　　　　　　　　27　　　　　　　　　　りょう　　　　　　28

⑨ 今夜は 星が きれいです。
　29　　30

⑩ 何の 本を 買ったんですか。……簡単な 卵料理の 本です。
　31　　　　　　　　　　　　　32　　33

⑪ あの 自動販売機で ジュースを 買って、涼しい 所で 休みましょう。
　　　34　　き　　　　　　　　　　35　ところ

⑫ スーパーで 花瓶と 非常袋を 買いました。
　　　　　36 びん　37 ぶくろ

⑬ 外は いい 天気ですが、熱が ありますから、どこも 行けません。
　38　　　39　　　　40

⑭ わたしは ガス会社で 働いて います。給料は ちょっと 安いですが、今の
　　　　　41　　はたら　　　　42

仕事が 好きです。

⑮ この 書類を すぐ 本社に 送って ください。
　　43　　　　44　　45

⑯ 今度の 連休、晴れたら、どこか 行きませんか。
　　　46　47

　……すみません。実は 今度の 連休は 北海道へ 旅行に 行くんです。
　　　　　　　　　　　　　　48　　　49　　50

⑰ 荷物は いすの 横に おいて ください。
　　　51　　　　　52

⑱ きょうは 彼と 映画を 見る 約束が あります。
　　　　　53　　54　　　　　55

⑲ 辞書を 貸して ください。うちに 忘れて しまったんです。
　56　　57　　　　　　　　　　58

⑳ 彼女は アルバイトを 探して います。
　59　　　　　　　60

II　　　　　　　　　　　　　　　　　　　　　　　　　　1×40

① さいきん いそがしい ひが つづいて います。この 仕事が 終わったら、
　1　　　　2　　　　　　3
　へいじつに 休みを とろうと 思って います。
　4　　　　　5

② ぶちょう、しゅっ張の 予定表を コピーして、つくえの 上に おいて
　6　　　　7ちょう　ていひょう　　　　　　　　8　　　　　　9
　おきました。……大阪に ついたら、すぐ 電話を ください。
　　　　　　10おおさか

③ きょねん たてた いえの 庭に 桜の 木を うえました。庭が 少し せまく
　11　　　12　　13にわ　さくら　　　14　　　　　　　　　　15
　なりましたが、はるに なったら、きれいな 花が 見られるでしょう。
　　　　　　16

④ あそこに 見える はしを 渡って、2つめの かどを ひだりへ 曲がると、
　　　　　　　17わた　　　　　18　　19　　20ま
　ゆうめいな おてらが あります。
　21　　　　22

⑤ けさ 胃が いたかったですが、薬を 飲みましたから、大丈夫です。
　　　　23　　くすり　　　　　じょうぶ
　……でも、からい 物を 食べたり、お酒を 飲んだり しない ほうが いいですよ。
　　　24　　　　　　さけ

⑥ あしたの パーティー、どうやって もうしこんだら いいですか。
　　　　　　　　　　　　　25
　……ちょくせつ ホテルへ 行って、受付の 人に もうしこんで ください。
　　26　　　　　　　　　うけつけ

⑦ でんちは ありますか。……その まん中の 引きだしに ありますよ。
　27　　　　　　　　　　　28ひ　29

⑧ あそこに ある しりょうを ちょっと かりても いいですか。
　　　　　　　30　　　　　　31
　……ええ、読んだら、もとの 所に 戻して おいて ください。
　　　　　　　32ところ　もど

⑨ この にんぎょう、きれいですね。……えきの 近くの 店で 見つけたんです。
　　33　　　　　　　　　　　34

⑩ この 写真の 金閣じは きれいですね。……わたしも いちど いもうと
　　　　　35きんかく　　　　　　　　　36　　37
　行った ことが ありますが、とても こんで いました。
　　　　　　　　　　　　　　　　38

⑪ あしたまでに 図書館の 本を かえさなければ なりません。
　　　　　　　　　　　　39

⑫ 財布を ひろったから、交番へ 持って 行こう。
　さいふ　40　こうばん

44

復習テスト1　ステップ2　名前＿＿＿＿＿＿／100

I　　　　　　　　　　　　　　　　　　　　　　　　　　　　1×60

1	2	3	4
5	6	7	8
9	10	11	12
13	14	15	16
17	18	19	20
21	22	23	24
25	26	27	28
29	30	31	32
33	34	35	36
37	38	39	40
41	42	43	44
45	46	47	48
49	50	51	52
53	54	55	56
57	58	59	60

1	2	3	4
5	6	7	8
9	10	11	12
13	14	15	16
17	18	19	20
21	22	23	24
25	26	27	28
29	30	31	32
33	34	35	36
37	38	39	40

名前 ＿＿＿＿＿＿＿＿

ステップ 1

1 薬　訓＿＿＿＿　音＿＿＿＿　薬 □□□□□　315
薬（　　　）を 飲む。

2 服　訓＿＿＿＿　音＿＿＿＿　服 □□□□　316
服（　　）を 着る。

3 質　訓＿＿＿＿　音＿＿＿＿　質 □□□□　317
先生に 質問（　　　　）する。

4 光　訓＿＿＿＿　音＿＿＿＿　光 □□□□　318
星の 光（　　　） 星が 光（　　　）る。

5 閉　訓＿＿＿＿　音＿＿＿＿　閉 □□□□　319
窓を 閉（　　）める。 窓が 閉（　　）まる。

6 番　訓＿＿＿＿　音＿＿＿＿　番 □□□□　320
一番（　　　　　）

7 号　訓＿＿＿＿　音＿＿＿＿　号 □□□□　321
番号（　　　　）

8 交　訓＿＿＿＿　音＿＿＿＿　交 □□□□　322
交通（　　　　）

9 危　訓＿＿＿＿　音＿＿＿＿　危 □□□□　323
危（　　）ない 場所 危険（　　けん）

★★★入口（いりぐち）107 125　★使用中（しようちゅう）133　★説明（せつめい）137　★先（さき）21　★★★入れる（いれる）107　★募集中（ぼしゅうちゅう）269

47

ステップ 2

10 席
訓＿＿＿＿＿
音＿＿＿＿＿
席 □□□□ 324
会議に 出席(　　　　)する。

11 戻
訓＿＿＿＿＿
音＿＿＿＿＿
戻 □□□□ 325
カメラを 棚(たな)に 戻(　　)す。

12 払
訓＿＿＿＿＿
音＿＿＿＿＿
払 □□□□ 326
お金を 払(　　)う。

13 無
訓＿＿＿＿＿
音＿＿＿＿＿
無 □□□□ 327
無理(　　)を する。

14 失
訓＿＿＿＿＿
音＿＿＿＿＿
失 □□□□ 328
「失礼します。」
失敗(　　ぱい)する。

15 礼
訓＿＿＿＿＿
音＿＿＿＿＿
礼 □□□□ 329
「失礼(　　　　)します。」

16 黄
訓＿＿＿＿＿
音＿＿＿＿＿
黄 □□□□ 330
黄色(　　　)の ズボン

17 苦
訓＿＿＿＿＿
音＿＿＿＿＿
苦 □□□□ 331
この 薬は 苦(　　)い。

18 末
訓＿＿＿＿＿
音＿＿＿＿＿
末 □□□□ 332
週末(　　　　)

19 逃
訓＿＿＿＿＿
音＿＿＿＿＿
逃 □□□□ 333
非常口から 逃(　　)げる。

20 規
訓＿＿＿＿＿
音＿＿＿＿＿
規 □□□□ 334
規則

21 則
訓＿＿＿＿＿
音＿＿＿＿＿
則 □□□□ 335
規則(　　　　)

22 守
訓＿＿＿＿＿
音＿＿＿＿＿
守 □□□□ 336
規則を 守(　　)る。

23 歯
訓＿＿＿＿＿
音＿＿＿＿＿
歯 □□□□ 337
歯(　　)を 磨(みが)く。

24 並
訓＿＿＿＿＿
音＿＿＿＿＿
並 □□□□ 338
いすを 並(　　)べる。

★立入禁止(たちいりきんし)[129] [110]

48

① 東京(きょう)は 交通が 便利(べんり)ですね。

　　……ええ、いろいろな 所(ところ)へ 速く 行けますね。

② この ドアは どうやって 開けるんですか。

　　……この 番号の とおりに、ボタンを 押(お)すと、開きます。

③ こちらは 入口です。出る ときは、あちらの 出口から 出て ください。

④ 靴(くっ)が 光って いますね。

　　……けさ 磨(みが)いたんです。

⑤ かぜですか。

　　……ええ、ゆうべ 窓(まど)を 閉(し)めないで 寝(ね)て しまったんです。

⑥ 「使用中」？　この 漢字は どういう 意味ですか。

　　……今 使って いると いう 意味です。

⑦ この 薬は 1日に 3回(かい) 食事の あとで、飲んで ください。

　　……わかりました。

⑧ 使い方が わからないんですが、説明して いただけませんか。

⑨ その 荷物は 重いですよ。棚に 載せる ときは、危ないですから、

　　気を つけて ください。

⑩ この 料理は 肉と 野菜と どちらを 先に 入れるんですか。

　　……肉を 先に 入れた ほうが いいです。

⑪ ほかに 質問が なかったら、会議を 終わります。

⑫ ここに「危険！　入るな」と 書いて ありますよ。

⑬ 光は 音より 速いです。

⑭ この 服は 洗濯機で 洗えません。

⑮ アルバイトを したいんだけど…。

　　……ここに「夜 働ける 人 募集中」と 書いて ありますよ。

① とう京は こうつうが 便利ですね。

　　……ええ、いろいろな 所へ はやく 行けますね。

② この ドアは どうやって あけるんですか。

　　……この ばんごうの とおりに、ボタンを 押すと、あきます。

③ こちらは いりぐちです。でる ときは、あちらの でぐちから、でて ください。

④ 靴が ひかって いますね。

　　……けさ 磨いたんです。

⑤ かぜですか。

　　……ええ、ゆうべ 窓を しめないで 寝て しまったんです。

⑥ 「しようちゅう」？　この かんじは どういう いみですか。

　　……今 つかって いると いう いみです。

⑦ この くすりは 1日に 3回 食事の あとで、飲んで ください。

　　……わかりました。

51

⑧　つかい方が わからないんですが、説めいして いただけませんか。

⑨　その 荷物は おもいですよ。棚に 載せる ときは、あぶないですから、

　　気を つけて ください。

⑩　この 料理は 肉と 野菜と どちらを さきに いれるんですか。

　　……肉を さきに いれた ほうが いいです。

⑪　ほかに しつもんが なかったら、会議を おわります。

⑫　ここに 「き険！　はいるな」と 書いて ありますよ。

⑬　ひかりは おとより はやいです。

⑭　この ふくは 洗濯機で 洗えません。

⑮　アルバイトを したいんだけど…。

　　……ここに 「夜 働ける 人 募しゅうちゅう」と 書いて ありますよ。

① 失礼します。ちょっと お願いが あるんですが。

　　……はい、何ですか。

② すみません、いくらですか。

⬤　　……これは 無料ですから、お金を 払わなくても いいです。

③ 小川(おがわ)さんは ミーティングに 出席して いますか。

　　……いいえ。きょうは 都合が 悪いから、来られないと 言って いましたよ。

④ 会議の あとで、本社に 戻ります。

⑤ いすが 足りませんから、あと 5つ 並べて おきましょう。

⬤ ⑥ 去年は 大学の 試験に 失敗(ばい)して しまいました。

　　……残念(ざんねん)でしたね。今年は 頑張(がんば)って くださいね。

⑦ この 部屋は いつも かぎが 掛(か)かって いるんですね。

　　……ええ、★立入★禁(きん)止なんです。

⑧ ボールは 練習が 終わったら、元の 所(ところ)に 戻して おいて ください。

53

⑨　歯が 痛いんですが。

　　……じゃ、この 黄色の 薬を 飲んで ください。少し 苦いですが、すぐ

　　　　よく なりますよ。

⑩　交通規則を 守れ。

⑪　危ない。早く 逃げろ。

⑫　週末は どこか 行きますか。

　　……いいえ、どこも 出かけません。

① <u>しつれい</u>します。ちょっと <u>お</u>ね<u>がい</u>が あるんですが。

　　……はい、何ですか。

② すみません、いくらですか。

　●　……これは <u>むりょう</u>ですから、お金を <u>はら</u>わなくても いいです。

③ 小川_{おがわ}さんは ミーティングに <u>しゅっせき</u>して いますか。

　　……いいえ。きょうは <u>つごう</u>が <u>わる</u>いから、来られないと 言って

　　いましたよ。

④ <u>かいぎ</u>の あとで、<u>ほんしゃ</u>に <u>もど</u>ります。

　●⑤ いすが <u>た</u>りませんから、あと 5つ <u>なら</u>べて おきましょう。

⑥ <u>きょねん</u>は 大学の <u>しけん</u>に <u>しっ</u>敗_{ぱい}して しまいました。

　　……残念_{ざんねん}でしたね。今年は 頑張_{がんば}って くださいね。

⑦ この 部屋は いつも かぎが 掛_かかって いるんですね。

　　……ええ、<u>たちいり</u>禁_{きん}し<u>な</u>んです。

⑧ ボールは れんしゅうが おわったら、もとの 所に もどして おいて

ください。

⑨ はが いたいんですが。

……じゃ、この きいろの くすりを 飲んで ください。少し にがいですが、

すぐ よく なりますよ。

⑩ 交通きそくを まもれ。

⑪ あぶない。早く にげろ。

⑫ しゅうまつは どこか 行きますか。

……いいえ、どこも でかけません。

56

ステップ1

1 同　訓 ＿＿＿＿＿　音 ＿＿＿＿＿
同 □□□□□　339
同(　　　)じ 日

2 治　訓 ＿＿＿＿＿　音 ＿＿＿＿＿
治 □□□□　340
病気が 治(　　　)る。

3 ● 所　訓 ＿＿＿＿＿　音 ＿＿＿＿＿
所 □□□□□　341
いい 所(　　) 住所(　　　) 近所(　　) 台所(だい　　)

4 暑　訓 ＿＿＿＿＿　音 ＿＿＿＿＿
暑 □□□□　342
暑(　　　)い 夏

5 寒　訓 ＿＿＿＿＿　音 ＿＿＿＿＿
寒 □□□□　343
寒(　　　)い 冬

6 便　訓 ＿＿＿＿＿　音 ＿＿＿＿＿
便 □□□□　344
郵便局(ゆう　　きょく) 不便(　　　　)な 所

7 ● 利　訓 ＿＿＿＿＿　音 ＿＿＿＿＿
利 □□□□　345
便利(　　　)な カメラ

8 泳　訓 ＿＿＿＿＿　音 ＿＿＿＿＿
泳 □□□□　346
海で 泳(　　　)ぐ。 水泳(　　　　　)

9 活　訓 ＿＿＿＿＿　音 ＿＿＿＿＿
活 □□□□□　347
生活(　　　　)

正しい(ただしい)¹⁸⁷　毎月(まいつき)³⁶　入力(にゅうりょく)²⁴⁹

ステップ2

10 向
訓＿＿＿＿＿
音＿＿＿＿＿

向 □□□□ 348
川の 向こう（　　こう）

11 困
訓＿＿＿＿＿
音＿＿＿＿＿

困 □□□□ 349
困（　　　）る。

12 丸
訓＿＿＿＿＿
音＿＿＿＿＿

丸 □□□ 350
丸（　　　）を 付ける。

13 機
訓＿＿＿＿＿
音＿＿＿＿＿

機 □□□ 351
飛行機（ひ　　　　）

14 曲
訓＿＿＿＿＿
音＿＿＿＿＿

曲 □□□ 352
きれいな 曲（　　　）
交差点を 曲（　）がる。

15 皆
訓＿＿＿＿＿
音＿＿＿＿＿

皆 □□□ 353
皆さん（　　　　さん）

16 違
訓＿＿＿＿＿
音＿＿＿＿＿

違 □□□ 354
食べ物が 違（　　　）う。

17 務
訓＿＿＿＿＿
音＿＿＿＿＿

務 □□□ 355
事務所（　　　　）

18 客
訓＿＿＿＿＿
音＿＿＿＿＿

客 □□□□ 356
お客さん（お　　さん）

19 島
訓＿＿＿＿＿
音＿＿＿＿＿

島 □□□□ 357
島（　　　）が 見える。

20 信
訓＿＿＿＿＿
音＿＿＿＿＿

信 □□□ 358
信号（　　　　）

21 遅
訓＿＿＿＿＿
音＿＿＿＿＿

遅 □□□ 359
授業に 遅（　　　）れる。
遅（　　　）い 車

22 許
訓＿＿＿＿＿
音＿＿＿＿＿

許 □□□ 360
許可

23 可
訓＿＿＿＿＿
音＿＿＿＿＿

可 □□□ 361
許可（　　　　）

24 禁
訓＿＿＿＿＿
音＿＿＿＿＿

禁 □□□ 362
使用禁止（　　　　　）

① 病気が 早く 治^{なお}るように、お酒^{さけ}は 飲みません。

② この 町の 生活は いかがですか。

　　……冬^{ふゆ}は 雪^{ゆき}が 多いし、寒いですが、人も 親切だし、物価^かも 安いし、

　　とても いいです。

③ いつも お元気ですね。何か 特別^{べつ}な ことを して いらっしゃるんですか。

　　……ええ、水泳教室に 通って います。できるだけ 休まないように

　　して います。

④ すみません、駅は どこですか。

　　……この 道を まっすぐ 100メートル ぐらい 行った 所に あります。

⑤ ここに 住所を 書いて、近所の 郵便局^{ゆう きょく}へ 持って 行って ください。

⑥ 毎日 暑いね。日曜日 暇^{ひま}なら、伊豆^{いず}の 海へ 泳ぎに 行かない？

　　……いいね。行こう。

⑦ 電子辞書を 持って いれば、わからない ことばが すぐ 調べられますから、

とても 便利です。

⑧ 金さん、伊藤さんの 意見に ついて どう 思いますか。

……そうですね。わたしは 正しいと 思います。

⑨ あの スーパーは 毎月 1日と 10日と 20日に 肉と 魚が 安く なります。

⑩ 毎日 同じ 時間に 食事するように して います。

……そうですか。それは 体に いいですね。

⑪ この 台所が もう 少し 広ければ、もっと いろいろな 料理を 作るんですが。

⑫ 2時までに これを 入力して ください。

① びょうきが 早く なおるように、お酒は 飲みません。

② この まちの せいかつは いかがですか。

　　……ふゆは 雪が 多いし、さむいですが、人も 親切だし、ぶっ価も 安いし、

　　とても いいです。

③ いつも お元気ですね。何か とく別な ことを して いらっしゃるんですか。

　　……ええ、すいえいきょうしつに かよって います。できるだけ

　　休まないように して います。

④ すみません、えきは どこですか。

　　……この みちを まっすぐ 100 メートル ぐらい 行った ところに あります。

⑤ ここに じゅうしょを 書いて、きんじょの 郵びん局へ もって 行って

　　ください。

⑥ 毎日 あついね。にちようび 暇なら、伊豆の うみへ およぎに 行かない?

　　……いいね。行こう。

⑦ 電子辞書を もって いれば、わからない ことばが すぐ 調べられますから、

とても べんりです。

⑧ 金さん、伊藤さんの いけんに ついて どう 思いますか。

……そうですね。わたしは ただしいと 思います。

⑨ あの スーパーは まいつき 1日と 10日と 20日に 肉と 魚が 安く なります。

⑩ 毎日 おなじ じかんに しょくじするように して います。

……そうですか。それは からだに いいですね。

⑪ この 台どころが もう 少し ひろければ、もっと いろいろな

りょうりを つくるんですが。

⑫ 2時までに これを にゅうりょくして ください。

① この 曲は とても 有名ですから、皆さんも 知って いると 思います。

いっしょに 歌いましょう。

② 値段を 変えれば、お客さんが もっと 来るでしょう。

● ③ この 船は 何時に 島に 着くんですか。

……あと 30分ぐらいです。もうすぐ 向こうに 島が 見えますよ。

④ ここは 許可が なければ 入れません。

35
・
36

⑤ 年を 取ってから、困らないように、毎月 4万円ずつ 貯金して います。

⑥ 「遅れるな」は 禁止形です。

● ⑦ 危ないですから、夜 遅く 一人で 歩かない ほうが いいです。

⑧ あれ？ お姉さんの セーターと 同じですね。

……ええ、サイズは 違いますが、色と デザインは 同じです。

⑨ 日本へ 来る とき、飛行機の 窓から 見た 景色は すばらしかったです。

⑩ あの 信号を 右へ 曲がった 所に 事務所が あります。そこで 待って いて

ください。

⑪ 正しい 答えを 選んで、黒い ボールペンで 丸を 付けて ください。

① この きょくは とても ゆうめいですから、みなさんも 知って いると

思います。いっしょに うたいましょう。

② 値段を 変えれば、おきゃくさんが もっと 来るでしょう。

● ③ この 船は 何時に しまに つくんですか。

……あと 30分ぐらいです。もうすぐ むこうに しまが 見えますよ。

④ ここは きょかが なければ 入れません。

⑤ としを とってから、こまらないように、毎月 4万円ずつ 貯金して います。

⑥ 「おくれるな」は きんしけいです。

● ⑦ あぶないですから、よる おそく 一人で あるかない ほうが いいです。

⑧ あれ? おねえさんの セーターと 同じですね。

……ええ、サイズは ちがいますが、いろと デザインは 同じです。

⑨ 日本へ 来る とき、飛こうきの 窓から 見た 景色は すばらしかったです。

35
・
36

⑩ あの しんごうを 右へ まがった 所に じむしょが あります。そこで 待って

いて ください。

⑪ 正しい こたえを 選んで、くろい ボールペンで まるを 付けて ください。

名前 ＿＿＿＿＿＿＿

ステップ1

1 発 訓＿＿＿＿ 音＿＿＿＿

発 □ □ □ □ ³⁶³

電話を 発明( )する。 星を 発見( )する。

2 工 訓＿＿＿＿ 音＿＿＿＿

工 □ □ □ □ ³⁶⁴

工場( )

3 飯 訓＿＿＿＿ 音＿＿＿＿

飯 □ □ □ □ ³⁶⁵

晩ご飯(ご)

4 台 訓＿＿＿＿ 音＿＿＿＿

台 □ □ □ □ ³⁶⁶

台所( )

5 題 訓＿＿＿＿ 音＿＿＿＿

題 □ □ □ □ ³⁶⁷

問題( )

6 待 訓＿＿＿＿ 音＿＿＿＿

待 □ □ □ □ ³⁶⁸

友達を 待( )つ。

7 米 訓＿＿＿＿ 音＿＿＿＿

米 □ □ □ □ ³⁶⁹

米( )と 麦(むぎ)

8 村 訓＿＿＿＿ 音＿＿＿＿

村 □ □ □ □ ³⁷⁰

小さい 村( )

9 注 訓＿＿＿＿ 音＿＿＿＿

注 □ □ □ □ ³⁷¹

車に 注意( )する。

★運ぶ(はこぶ)²⁴⁸ ★小学校(しょうがっこう)⁷⁴

ステップ2

10 港
訓＿＿＿＿
音＿＿＿＿
港□□□□ 372
港( )が 見える。
成田空港(なりた)

11 宿
訓＿＿＿＿
音＿＿＿＿
宿□□□ 373
宿題( )

12 捨
訓＿＿＿＿
音＿＿＿＿
捨□□□ 374
道に ごみを 捨( )てては
いけない。

13 輸
訓＿＿＿＿
音＿＿＿＿
輸□□□ 375
車を 輸出★★( )する。

14 招
訓＿＿＿＿
音＿＿＿＿
招□□□ 376
招待★( )する。

15 呼
訓＿＿＿＿
音＿＿＿＿
呼□□□ 377
タクシーを 呼( )ぶ。

16 原
訓＿＿＿＿
音＿＿＿＿
原□□□ 378
原料( )

17 慣
訓＿＿＿＿
音＿＿＿＿
慣□□□ 379
習慣( )
慣( )れる。

18 頼
訓＿＿＿＿
音＿＿＿＿
頼□□□ 380
買い物を 頼( )む。

19 成
訓＿＿＿＿
音＿＿＿＿
成□□□ 381
成功(こう)する。

20 法
訓＿＿＿＿
音＿＿＿＿
法□□ 382
方法★★( )

21 退
訓＿＿＿＿
音＿＿＿＿
退□□□ 383
退院( )する。

22 参
訓＿＿＿＿
音＿＿＿＿
参□□ 384
参加する。

23 加
訓＿＿＿＿
音＿＿＿＿
加□□ 385
参加( )する。

24 岸
訓＿＿＿＿
音＿＿＿＿
岸□□□ 386
海岸( )

輸出★★(ゆしゅつ)[108]　招待★(しょうたい)[368]　方法★(ほうほう)[13]　世界中★(せかいじゅう)[81]
屋上★★★(おくじょう)[182 77]　行う★★(おこなう)[23]　世紀★(せいき)[115]

名前 ＿＿＿＿＿＿＿＿

① すみませんが、この 箱を 台所まで ★運ぶのを 手伝って いただけませんか。

② 近所に できた 工場で 来月から 働こうと 思って います。

③ 米を 買うのを 忘れて しまいました。

● ④ 娘は バスで 小学校に 通って います。歩いたら、40分 かかります。

⑤ 旅行の 申し込みは 1週間 待って いただけませんか。よく 考えてから、

決めたいんです。

……いいですよ。

⑥ わたしが 生まれたのは 富士山の 近くの 小さい 村です。

● ⑦ どこで 昼ご飯を 食べる?

……あの 桜の 木の 下は どう?

⑧ 何が 発見されたんですか。

……昔の 日本の 古い お金です。

⑨ コンピューターが 発明されてから、ずいぶん 便利に なりました。

⑩ 込んで いる 電車の 中で 財布を とられないように 注意しましょう。

① すみませんが、この 箱を だいどころまで はこぶのを 手伝って

いただけませんか。

② きんじょに できた こうじょうで 来月から 働こうと 思って います。

● ③ こめを 買うのを わすれて しまいました。

④ 娘は バスで しょうがっこうに かよって います。あるいたら、40分

かかります。

⑤ りょこうの 申し込みは 1週間 まって いただけませんか。

よく かんがえてから、決めたいんです。

● ……いいですよ。

⑥ わたしが うまれたのは 富士山の ちかくの 小さい むらです。

⑦ どこで ひるごはんを 食べる?

……あの 桜の 木の 下は どう?

⑧ 何が はっけんされたんですか。

　　……昔の 日本の 古い お金です。

⑨ コンピューターが はつめいされてから、ずいぶん べんりに なりました。

⑩ 込んで いる でんしゃの なかで 財布を とられないように

　ちゅういしましょう。

① ちょっと 海岸を 散歩しませんか。

② 好きな 歌手の コンサートに 無料で 招待されました。

③ 先生、きょうの 宿題は 何ですか。

④ わたしが 集めて いた 大切な 切手を 弟に 捨てられて しまいました。

⑤ 日本の 電気製品は 世界中に 輸出されて います。

⑥ この ビルの 屋上から 港が 見えるのを 知って いますか。

⑦ 鈴木さんは 退院してから、とても 調子が いいと 言って いました。

⑧ マリアさんを 呼んで ください。お客様です。

⑨ 中国語が 上手に 話せるように なりたいんですが、いい 方法が あれば、

教えて いただけませんか。

⑩ この 紙の 原料は 木だけですか。

……ええ、そうです。

⑪ 今度の 新しい 仕事は 1年まえから 準備^{じゅんび}して いますから、きっと

成功^{こう}するでしょう。

⑫ 新しい 生活は どうですか。

……ことばも わからないし、習慣も 違うし、初^{はじ}めは 大変^{へん}でしたが、

今は もう 慣れました。毎日 楽しいです。

⑬ 先週の パーティーに 参加した 人は 30人でした。

⑭ 5分まえに、飛行機^ひが 空港に 着きました。

⑮ 日光^{にっこう}で ★★行われた お祭^{まつ}りを 見に 行きました。

⑯ 課長^かに しかられたんですか。

……ええ、頼まれた 仕事を 忘れて しまったんです。

⑰ この 絵^えが かかれたのは 13★世紀^きです。

ステップ2 書き練習 名前 ＿＿＿＿＿＿＿＿

① ちょっと かいがんを さんぽしませんか。

② 好きな かしゅの コンサートに むりょうで しょうたいされました。

③ 先生、きょうの しゅくだいは 何ですか。

● ④ わたしが あつめて いた 大切な 切手を おとうとに すてられて

しまいました。

⑤ 日本の 電気製品は せかいじゅうに ゆしゅつされて います。

⑥ この ビルの おくじょうから みなとが 見えるのを 知って いますか。

⑦ 鈴木さんは たいいんしてから、とても 調しが いいと 言って いました。

● ⑧ マリアさんを よんで ください。おきゃく様です。

⑨ 中国語が じょうずに 話せるように なりたいんですが、いい ほうほうが

あれば、教えて いただけませんか。

⑩ この かみの げんりょうは 木だけですか。

……ええ、そうです。

⑪ こんどの 新しい 仕事は 1年まえから 準備して いますから、きっと

せい功するでしょう。

⑫ 新しい せいかつは どうですか。

……ことばも わからないし、しゅうかんも ちがうし、初めは

たい変でしたが、今は もう なれました。毎日 楽しいです。

⑬ 先週の パーティーに さんかした 人は 30人でした。

⑭ 5分まえに、飛こうきが くうこうに つきました。

⑮ 日光で おこなわれた お祭りを 見に 行きました。

⑯ 課長に しかられたんですか。

……ええ、たのまれた 仕事を わすれて しまったんです。

⑰ この 絵が かかれたのは 13せい紀です。

Ⅰ　　　　　　　　　　　　　　　　　　　　　　　　　　　　　　　　　2×25

① ここに <u>住所</u>を 書いて ください。わかれば、<u>部屋</u>の <u>番号</u>も 書いて ください。
$\quad\quad\quad\quad$ 1 $\quad\quad\quad\quad\quad$ 2 $\quad\quad$ 3

② わたしが 住んで いる <u>村</u>は 小さくて、<u>交通</u>は ちょっと <u>不便</u>ですが、村の <u>生活</u>は
$\quad\quad\quad\quad\quad\quad\quad$ 4 $\quad\quad\quad\quad$ 5 $\quad\quad\quad\quad\quad\quad$ 6 $\quad\quad\quad\quad$ 7
楽しいです。

③ <u>危険</u>！　この 川で <u>泳</u>ぐな。
$\quad$ 8 $\quad\quad\quad\quad\quad$ 9

④ この 部屋は 太陽の <u>光</u>が よく 入りますから、夏は とても <u>暑</u>いです。
$\quad\quad\quad\quad\quad\quad\quad\quad$ 10 $\quad\quad\quad\quad\quad\quad\quad\quad\quad\quad\quad$ 11

⑤ すみません。<u>汚</u>れた <u>皿</u>を　<u>台所</u>へ <u>持</u>って 行って ください。
$\quad\quad\quad\quad\quad\quad\quad$ 12 $\quad\quad$ 13

⑥ <u>小学生</u>の　<u>娘</u>は <u>水泳</u>を 習って います。
$\quad$ 14 $\quad\quad\quad\quad\quad$ 15

⑦ 病気が <u>治</u>りましたから、運動できます。
$\quad\quad\quad\quad$ 16

⑧ <u>部長</u>、お <u>客</u>さんが <u>待</u>って います。
$\quad$ 17 $\quad\quad\quad\quad\quad$ 18
　　……わかりました。すぐ 行きますから、<u>先</u>に 行って ください。
$\quad\quad\quad\quad\quad\quad\quad\quad\quad\quad\quad\quad\quad\quad$ 19

⑨ 仕事を やめたら、<u>緑</u>が 多くて、<u>静</u>かな <u>所</u>に 住みたいです。
$\quad\quad\quad\quad\quad\quad\quad$ みどり $\quad\quad\quad$ しず $\quad$ 20

⑩ うちの <u>近所</u>に スーパーが できました。とても <u>便利</u>に なりました。
$\quad\quad\quad$ 21 $\quad\quad\quad\quad\quad\quad\quad\quad\quad\quad\quad$ 22

⑪ <u>郵便局</u>へ <u>切手</u>を 買いに 行きます。
$\quad$ 23 $\quad\quad$ 24

⑫ <u>鈴木</u>さんと わたしは <u>同</u>じ 日に 生まれました。
$\quad$ すずき $\quad\quad\quad\quad\quad$ 25

1	2	3	4
5	6	7	8
9	10	11	12
13	14	15	16
17	18	19	20
21	22	23	24
25			

① ご<u>は</u>んの あとで、この <u>くすり</u>を 飲んで ください。
   ₁   ₂

② <u>しつもん</u>が なければ、じゅぎょうを 終わります。
   ₃

③ 説<u>めいしょ</u>の この <u>かんじ</u>は <u>ただ</u>しいですか。
   ₄   ₅   ₆

④ この<u>あいだ</u> <u>はっけん</u>された 星は 何と いう 星ですか。
     ₇   ₈   ^{ほし}

⑤ <u>えきまえ</u>の この 道は 朝 車が 多いですから、とても <u>あぶ</u>ないです。
   ₉   ₁₀

   <u>いそ</u>ぐ とき、車に <u>ちゅうい</u>して ください。
   ₁₁   ₁₂

⑥ <u>さむ</u>いね。窓から <u>はい</u>る <u>かぜ</u>が 冷たいね。窓を <u>し</u>めようか。
   ₁₃ ^{まど}   ₁₄   ₁₅ ^{つめ}   ₁₆

⑦ この ロボットを <u>はつめい</u>したのは <u>こうじょう</u>で 働いて いる 田中さんです。
            ₁₇   ₁₈ ^{はたら}   ^{たなか}

⑧ <u>もんだい</u>の 2番から 9番まで <u>ふくしゅう</u>して おいて ください。
   ₁₉   ₂₀

⑨ お葬式に 行くんですが、どんな <u>ふく</u>を 着たら いいですか。
  ^{そうしき}   ₂₁

⑩ この スーパーは 毎週 <u>どようび</u>に <u>こめ</u>が 安く なります。それで どようびは
                  ₂₂   ₂₃

   <u>じてんしゃ</u>で こめを 買いに 行きます。
   ₂₄

⑪ すみません。この いすを 隣の 部屋に <u>はこ</u>んで ください。
             ^{となり}   ₂₅

1	2	3	4
5	6	7	8
9	10	11	12
13	14	15	16
17	18	19	20
21	22	23	24
25			

I　　　　　　　　　　　　　　　　　　　　　　　　　　　　　　1×60

① 週末に 富士山に 登りたいんですが、どうやって 行けば いいですか。

② 夜 飛行機の 窓から 見えた 空港は とても きれいでした。

③ わたしと 彼女は クラスは 違いますが、いい 友達です。彼女は ユーモアも

あるし、話も 上手だし、いつも いっしょに いたいです。

④ ここは「立入禁止」です。許可が なければ、入れません。

⑤ パーティーに 出席する 人は 来週までに 申し込んで ください。

⑥ わたしは 将来 難しい 病気を 治す くすりを 作りたいです。

⑦ この ビルの 屋上から 港が 見えます。天気が よければ、向こうに 島も

見えます。

⑧ 田中さんに 夕方 5時ごろ 会社に 戻ると 伝えて いただけませんか。

⑨ 石油などの 原料が 外国から 輸入されて います。

⑩ 図書館は 橋を 渡って、一つ目の 信号を 右へ 曲がると、左に あります。

⑪ 休みを 取って、彼と 海へ 行きました。そして、波の 音を 聞きながら

海岸を 散歩しました。

⑫ 試験に 遅れた 学生は 先生に 呼ばれて、しかられました。

⑬ ドアの 横に 置いて ある 荷物は 事務所へ 持って 行って ください。

⑭ お客さんの 名前を 早く おぼえるように して います。

⑮ 皆さん、これは とても きれいな 曲ですね。

⑯ 休みの 日は 遅く 起きます。昼から 近くの スポーツクラブで 行われて いる

テニス教室に 行きます。

⑰ この 自動車は 世界中へ 輸出されて います。とても 人気が あるんです。

⑱ 日本の 習慣に 慣れましたか。

⑲ 先週 妹と バス旅行に 参加して、東京（とうきょう）スカイツリーへ 行きました。道が
　　　　　 56　　　　　　　　　 57

込んで いました。それで バスが 遅れました。
　　　　　　　　　　　　　　　　　 58

⑳ 友達の 誕生日（たん）の パーティーに 招待されました。
　　　　　 59　　　　　　　　　　　　　 60

Ⅱ　　　　　　　　　　　　　　　　　　　　　　　　　　　　　　　　　　　　1×40

① 社長に ようじを たのまれて しまいました。つかれて いますが、
　　　　　 1　　　 2　　　　　　　　　　 3

やらなければ なりません。

② こうつう きそくを まもって うんてんして ください。
　　　 4　　　 5　　　 6　　　 7

③ 6階（かい）の しょくどうで 食べましょう。
　　　　　　　 8

④ すぐ にげて ください。ひじょうぐちは あそこです。
　　　 9　　　　　　　　 10

⑤ しょくじの あとで、しゅくだいを しましたが、ねむくて、ぜんぶ
　　 11　　　　　　　 12　　　　　　 13　　　 14

できませんでした。あした じゅぎょうの まえに、やろうと 思って います。
　　　　　　　　　　　　 15

⑥ 答えが 正しければ、あかい ボールペンで まるを 付（つ）けて ください。
　　　　　　　　　　　 16　　　　　　　 17

⑦ おととい もらった かぐの カタログ、すてても いいですか。
　　　　　　　　　　 18　　　　 19

⑧ 少し にがいですが、はが いたく なったら、きいろの くすりを 飲んで ください。
　　　 20　　　　　 21　 22　　　　　　 23

⑨ 先週 たいいんしました。かぞくが しんぱいして いますから、むりを
　　　 24　　　　　　　 25　　　 26　　　　　　　　　 27

しないように して います。

⑩ しつれいですが、お名前は？
　 28

⑪ 試験に しっ敗（ばい）して しまいました。
　　　 29

今度は ほかの ほうほうで 勉強した ほうが いいかも しれません。
　　　　　　 30

⑫ ここに ならべて ある しゃしんの 中で どれが いちばん いいと 思いますか。
　　　 31　　　　 32

⑬ カードで はらっても いいですか。……すみません、現金で おねがいします。
　　　　 33　　　　　　　　　　　　　 げん 34

⑭ えいごが 話せなければ、海外りょこうの とき、こまりますから、仕事の あとで、
　 35　　　　　　　　　　 36　　　　　 37

えいごの 学校へ 行って います。毎日 大切な ことばを おぼえて います。
　　　　　　　　　　　　　　　　　　　　　　　 38

⑮ スイスで ひらかれる 国際会議は せい功（こう）するでしょうか。
　　　　 39　　　　 さい　　　 40

ステップ 2 名前＿＿＿＿＿＿／100

I   1×60

1	2	3	4
5	6	7	8
9	10	11	12
13 し	14	15	16
17	18	19	20
21	22	23	24
25	26	27	28 っ
29	30	31	32
33	34	35	36
37	38	39	40
41	42	43	44
45	46	47	48
49	50	51	52
53	54	55	56
57	58	59	60

復
2

1	2	3	4
5	6	7	8
9	10	11	12
13	14	15	16
17	18	19	20
21	22	23	24
25	26	27	28
29	30	31	32
33	34	35	36
37	38	39	40

39・40課

名前 ＿＿＿＿＿＿

ステップ1

#	漢字			
1	代	訓＿＿＿	音＿＿＿	代 □□□□ 電話代（　　　　）	387

1 代 訓＿＿＿ 音＿＿＿ 代□□□□ 電話代（　　　） 387

2 死 訓＿＿＿ 音＿＿＿ 死□□□□ 犬が 死（　）ぬ。 388

3 首 訓＿＿＿ 音＿＿＿ 首□□□□ 首相（　　しょう） 389

4 結 訓＿＿＿ 音＿＿＿ 結□□□□ 結婚する。 390

5 婚 訓＿＿＿ 音＿＿＿ 婚□□□□ 結婚（　　　）する。 391

6 式 訓＿＿＿ 音＿＿＿ 式□□□□ 結婚式（　　　　） 392

7 全 訓＿＿＿ 音＿＿＿ 全□□□□ 全部（　　　） 393

8 次 訓＿＿＿ 音＿＿＿ 次□□□□ 次（　　）の 電車　二次会（　　　　） 394

9 以 訓＿＿＿ 音＿＿＿ 以□□□□ 以下（　　　） 395

何本★（なんぼん）¹⁴　一本★★（いっぽん）¹⁴　安心★（あんしん）⁷²　通る★（とおる）²⁴⁶

83

ステップ2

10 必 訓＿＿＿＿ 音＿＿＿＿	必□□□□ 396 必( )ず 行く。 必要な 書類	18 複 訓＿＿＿＿ 音＿＿＿＿	複□□□□ 404 複雑な 話
11 要 訓＿＿＿＿ 音＿＿＿＿	要□□□ 397 必要( )な 書類 ビザが 要( )る。	19 雑 訓＿＿＿＿ 音＿＿＿＿	雑□□□ 405 複雑( )な 話 雑誌(し)
12 絶 訓＿＿＿＿ 音＿＿＿＿	絶□□□ 398 絶対に	20 汚 訓＿＿＿＿ 音＿＿＿＿	汚□□□ 406 手が 汚( )い。 川が 汚( )れる。
13 対 訓＿＿＿＿ 音＿＿＿＿	対□□□□ 399 絶対( )に	21 表 訓＿＿＿＿ 音＿＿＿＿	表□□□ 407 表( )と 裏 予定表 (てい) 発表( )
14 然 訓＿＿＿＿ 音＿＿＿＿	然□□□ 400 全然( )	22 倒 訓＿＿＿＿ 音＿＿＿＿	倒□□□ 408 木が 倒( )れる。
15 難 訓＿＿＿＿ 音＿＿＿＿	難□□□ 401 難( )しい ことば	23 故 訓＿＿＿＿ 音＿＿＿＿	故□□□□ 409 交通事故( )
16 残 訓＿＿＿＿ 音＿＿＿＿	残□□□ 402 東京に 残( )る。 残業( )する。	24 確 訓＿＿＿＿ 音＿＿＿＿	確□□□ 410 確( )かめる。 確認(にん)する。
17 念 訓＿＿＿＿ 音＿＿＿＿	念□□□ 403 残念( )だ。		

※大人(おとな)　地震(じしん)[267]　返事(へんじ)[307]　★台風(たいふう)[366 296]　出発(しゅっぱつ)[363]　★★★到着(とうちゃく)[151]　★操作(そうさ)[134]　★★★忘年会(ぼうねんかい)[281]　★★様子(ようす)[143]

84

① 本が 九冊(さつ)と 辞書(じ)が 一冊と ノートが 八冊 置(お)いて あります。

② ビールが 何本★ あるか、 数(かぞ)えて ください。

　……一本★★、二本、三本…十本 あります。

● ③ 首相(しょう)は 来週 フランスへ 行く 予定(てい)です。

④ 一日 三時間 以上 勉強しなければ なりません。

⑤ だれが 次の 首相に 選(えら)ばれると 思いますか。

　……さあ、わかりませんね。

⑥ 日本人(にほん)の 友達の 結婚式(しょうたい)に 招待されたんですが、何を 持って 行ったら

● いいですか。

⑦ 全部で 1,575 円です。

　……じゃ、2,000 円で お願いします。

⑧ 母が けがを しましたが、よく なったと 聞いて、安心★しました。

⑨ この 道は 今 通★れません。あちらの 道を 通って ください。

⑩　どう　したんですか。

　　……飼って　いた　犬が　死んで　しまったんです。

① 本が <u>きゅう</u>冊と 辞書が <u>いっ</u>冊と ノートが <u>はっ</u>冊 置いて あります。

② ビールが <u>なんぼん</u> あるか、 数えて ください。

　　……<u>いっぽん</u>、 <u>にほん</u>、 <u>さんぼん</u>…<u>じゅっぽん</u>　あります。

③ <u>しゅ</u>相は 来週 フランスへ 行く <u>よ</u>定です。

④ 一日 三時間 <u>いじょう</u> 勉強しなければ なりません。

⑤ だれが <u>つぎ</u>の しゅ相に 選ばれると 思いますか。

　　……さあ、わかりませんね。

⑥ 日本人の 友達の <u>けっこんしき</u>に 招待されたんですが、何を 持って

行ったら いいですか。

⑦ <u>ぜんぶ</u>で 1,575 円です。

　　……じゃ、2,000 円で お願いします。

⑧ 母が けがを しましたが、よく なったと 聞いて、<u>あんしん</u>しました。

⑨ この <u>みち</u>は 今 <u>とおれ</u>ません。あちらの <u>みち</u>を <u>とおって</u> ください。

⑩　どう　したんですか。

　　……飼って　いた　犬が　しんで　しまったんです。

① 難しい 質問に 答えられました。先生に 褒められて、とても うれしかったです。

② ※大人は 1,000 円ですね。子どもも 払わなければ なりませんか。

……いいえ、子どもは 無料です。

③ きのう 買った 服が 汚れて しまったので、自分で 洗いましたが、全然

きれいに ならないんです。

……大丈夫ですよ。クリーニング屋へ 持って 行ったら、きれいに なりますよ。

④ ★地震で 古い ビルが 倒れて しまいました。

⑤ 新年会の 予定を 決めましたから、壁に はって ある 予定表を 見て、よく

確かめて ください。出席できるか どうか、20日までに ★返事を ください。

⑥ この 紙は どちらが 表か、わかりますか。

⑦ ★★台風で ハイキングに 行けませんでした。

……残念でしたね。

⑧ 事故で バスが 遅れました。でも、家を 早く 出たので、学校に 間に 合いました。

⑨ 松本さんは まだ 店に 残って 仕事を して います。

⑩　すごいですね。こんなに　複雑な　問題が　わかったんですか。

⑪　電気代は　今週の　金曜日までに　必ず　払って　ください。

⑫　あしたの　のぞみ 26 号は　何時に　出発して、何時に　到着するか、　もう

　　一度　確認して　ください。

⑬　カードを　申し込む　とき、何が　必要か、教えて　ください。はんこは

　　要りますか。

⑭　これは　操作が　難しくて、危険ですから、絶対に　触らないで　ください。

⑮　忘年会の　会場は　どこが　いいですか。

　　……駅前の　「さくらや」は　どうですか。

⑯　この　川は　水が　きれいですね。

　　……ええ、昔は　ずいぶん　汚かったんですが、今は　魚が　たくさん　いるんですよ。

⑰　あしたから　毎日　1 人ずつ　作文の　発表を　します。よく　練習して　おいて

　　ください。

⑱　転勤した　渡辺さんの　様子を　電話で　聞いて　みました。

① むずかしい 質問に こたえられました。先生に 褒められて、とても

うれしかったです。

② おとなは 1,000 円ですね。子どもも はらわなければ なりませんか。

……いいえ、子どもは むりょうです。

③ きのう 買った ふくが よごれて しまったので、自分で 洗いましたが、ぜんぜん

きれいに ならないんです。

……大丈夫ですよ。クリーニングやへ 持って 行ったら、きれいに なりますよ。

④ じ震で 古い ビルが たおれて しまいました。

⑤ 新年会の よ定を きめましたから、壁に はって ある よ定ひょうを 見て、

よく たしかめて ください。出席できるか どうか、 20 日までに へんじを

ください。

⑥ この 紙は どちらが おもてか、わかりますか。

⑦ たいふうで ハイキングに 行けませんでした。

……ざんねんでしたね。

⑧ じこで バスが おくれました。でも、家を 早く 出たので、学校に まに あいました。

⑨ 松本さんは まだ 店に のこって 仕事を して います。

⑩ すごいですね。こんなに ふくざつな 問題が わかったんですか。

⑪ でんきだいは 今週の 金曜日までに かならず はらって ください。

⑫ あしたの のぞみ26ごうは 何時に しゅっぱつして、何時に 到ちゃくするか、

　　もう 一度 かく認して ください。

⑬ カードを もうしこむ とき、何が ひつようか、教えて ください。はんこは

　　いりますか。

⑭ これは 操さが むずかしくて、き険ですから、ぜったいに 触らないで ください。

⑮ ぼうねんかいの かいじょうは どこが いいですか。

　　……えきまえの 「さくらや」は どうですか。

⑯ この 川は 水が きれいですね。

　　……ええ、昔は ずいぶん きたなかったんですが、今は 魚が たくさん

　　　いるんですよ。

⑰ あしたから 毎日 1人ずつ 作文の はっぴょうを します。よく

　　れんしゅうして おいて ください。

⑱ てん勤した 渡辺さんの 様すを 電話で 聞いて みました。

名前 ＿＿＿＿＿＿＿

ステップ1

1 説　訓＿＿＿＿　音＿＿＿＿
説 □ □ □ □ ⁴¹¹
使い方を 説明(　　　)する。　説明会(　　　　　)

2 進　訓＿＿＿＿　音＿＿＿＿
進 □ □ □ □ ⁴¹²
進学(　　　　)する。　進学説明会(　　　　　)

● 3 産　訓＿＿＿＿　音＿＿＿＿
産 □ □ □ □ ⁴¹³
ブラジル産(　　　)　※お土産(　　　　)

4 園　訓＿＿＿＿　音＿＿＿＿
園 □ □ □ □ ⁴¹⁴
動物園(　　　　　)

5 公　訓＿＿＿＿　音＿＿＿＿
公 □ □ □ □ ⁴¹⁵
公園(　　　　　)

41
・
42

6 案　訓＿＿＿＿　音＿＿＿＿
案 □ □ □ □ ⁴¹⁶
案内

● 7 内　訓＿＿＿＿　音＿＿＿＿
内 □ □ □ □ ⁴¹⁷
案内(　　　　)する。

8 石　訓＿＿＿＿　音＿＿＿＿
石 □ □ □ □ ⁴¹⁸
石油

9 油　訓＿＿＿＿　音＿＿＿＿
油 □ □ □ □ ⁴¹⁹
石油(　　　)

※お土産(おみやげ)　★体温計(たいおんけい)^{123 89}　★★★上げる(あげる)⁷⁷
★★★★下げる(さげる)⁷⁸

ステップ2

10 化	化 □ □ □ □ 420
訓＿＿＿＿	文化（　　　　）
音＿＿＿＿	

11 和	和 □ □ □ □ 421
訓＿＿＿＿	和室（　　　　）
音＿＿＿＿	

12 健	健 □ □ □ 422
訓＿＿＿＿	健康
音＿＿＿＿	

13 康	康 □ □ □ 423
訓＿＿＿＿	健康（　　　　）
音＿＿＿＿	

14 暖	暖 □ □ □ 424
訓＿＿＿＿	暖（　　　）かい　日
音＿＿＿＿	暖房（　　　ぼう）

15 情	情 □ □ □ 425
訓＿＿＿＿	情報
音＿＿＿＿	

16 報	報 □ □ □ 426
訓＿＿＿＿	情報（　　　　　）
音＿＿＿＿	

17 的	的 □ □ □ 427
訓＿＿＿＿	★目的（　　　　）
音＿＿＿＿	

18 紹	紹 □ □ □ □ 428
訓＿＿＿＿	友達を　紹介する。
音＿＿＿＿	

19 介	介 □ □ □ □ 429
訓＿＿＿＿	友達を　紹介（　　　　）する。
音＿＿＿＿	

20 経	経 □ □ □ 430
訓＿＿＿＿	経済
音＿＿＿＿	

21 済	済 □ □ □ 431
訓＿＿＿＿	経済（　　　　）
音＿＿＿＿	

22 律	律 □ □ □ 432
訓＿＿＿＿	法律（　　　　）
音＿＿＿＿	

23 相	相 □ □ □ 433
訓＿＿＿＿	首相（　　　　）
音＿＿＿＿	相談する。

24 談	談 □ □ □ 434
訓＿＿＿＿	相談（　　　　）する。
音＿＿＿＿	

★目的（もくてき）128　★文法（ぶんぽう）356　★自然（しぜん）192

94

① 石油は どこから 輸入されて いますか。

　　……サウジアラビアなどからです。

② 進学説明会に 行きましたか。

　　……ええ。行くのに 一時間半 かかりましたが、説明会で 先生が 大学や

　　試験の ことを 説明して くださったので、よかったです。

③ わあ、軟らかくて、おいしい 肉ですね。

　　……オーストラリア産の 牛肉です。たくさん 食べて ください。

④ 夏休みに 国の 友達が 日本へ 来ました。お土産に 国の お菓子を

　　持って 来て くれました。わたしは 東京を 案内して あげました。

⑤ きのう 彼と 公園へ 散歩に 行きました。大きな 橋の 上で 写真を

　　撮って もらいました。

⑥ 体温計で 熱を 測りました。

⑦ 上げた 手を ゆっくり 下げて ください。

① せきゆは どこから 輸にゅうされて いますか。

　　……サウジアラビアなどからです。

② しんがくせつめいかいに 行きましたか。

●　……ええ。行くのに いちじかんはん かかりましたが、せつめいかいで

　　　先生が 大学や しけんの ことを せつめいして くださったので、

　　　よかったです。

③ わあ、軟らかくて、おいしい にくですね。

　　……オーストラリアさんの ぎゅうにくです。たくさん 食べて ください。

●④ なつやすみに 国の 友達が 日本へ 来ました。おみやげに 国の お菓しを

　　持って 来て くれました。わたしは 東京を あんないして あげました。

⑤ きのう かれと こうえんへ さんぽに 行きました。 大きな はしの 上で

　　しゃしんを 撮って もらいました。

⑥ たい温けいで 熱を 測りました。

⑦　<u>あ</u>げた　手を　ゆっくり　<u>さ</u>げて　ください。

① 首相は この 問題に ついて よく 考えてから、答えると 言いました。

② 夏休みの 予定は 家族と 相談して 決めます。

③ 世界の 平和の ために、働きたいです。

● ④ 日本へ 来た 目的は 何ですか。

　　……日本の 経済に ついて 勉強する ために、来ました。

⑤ 文法が よく わからなかったので、先生に 教えて いただきました。

⑥ 海外旅行の 情報を インターネットや 雑誌を 見て 集めて います。

⑦ 先生は わたしたちに 日本の 文化に ついて 紹介して くださいました。

● ⑧ 健康の ために、1週間に 1回 運動するように して います。

⑨ 暖房を つけましたから、すぐ 暖かく なりますよ。

⑩ 弁護士に なる ために、大学で 法律を 勉強する つもりです。

⑪ 年を 取ったら、自然の 中で 生活したいです。

① <u>しゅしょう</u>は この <u>もんだい</u>に ついて よく <u>かんが</u>えてから、<u>こた</u>えると

言いました。

② 夏休みの <u>よ</u>定は 家族と <u>そうだん</u>して <u>き</u>めます。

● ③ <u>せかい</u>の <u>へいわ</u>の ために、<u>働</u>きたいです。

④ 日本へ 来た <u>もくてき</u>は 何ですか。

　　……日本の <u>けいざい</u>に ついて 勉強する ために、来ました。

⑤ <u>ぶんぽう</u>が よく わからなかったので、先生に 教えて いただきました。

⑥ <u>かいがいりょこう</u>の <u>じょうほう</u>を インターネットや <u>ざっ誌</u>を 見て

● <u>あつ</u>めて います。

⑦ 先生は わたしたちに 日本の <u>ぶんか</u>に ついて <u>しょうかい</u>して

くださいました。

⑧ <u>けんこう</u>の ために、1週間に 1回 <u>うんどう</u>するように して います。

⑨ <u>だん房</u>を つけましたから、すぐ <u>あたたか</u>く なりますよ。

⑩　弁護士に　なる　ために、大学で　ほうりつを　勉強する　つもりです。

⑪　としを　とったら、しぜんの　中で　せいかつしたいです。

名前 _____

ステップ1

		訓			音	

1 回　訓 _____　回 ☐ ☐ ☐ ☐ ☐　435
　　　音 _____　右へ 回(　　　)す。　一回(　　　　　)

2 起　訓 _____　起 ☐ ☐ ☐ ☐ ☐　436
　　　音 _____　7時に 起(　　)きる。

● 3 頭　訓 _____　頭 ☐ ☐ ☐ ☐ ☐　437
　　　音 _____　頭(　　　　)が いい。

4 短　訓 _____　短 ☐ ☐ ☐ ☐ ☐　438
　　　音 _____　髪が 短(　　　　)い。

5 低　訓 _____　低 ☐ ☐ ☐ ☐ ☐　439
　　　音 _____　低(　　　)い 山

6 軽　訓 _____　軽 ☐ ☐ ☐ ☐ ☐　440
　　　音 _____　軽(　　)い かばん

● 7 洗　訓 _____　洗 ☐ ☐ ☐ ☐ ☐　441
　　　音 _____　手を 洗(　　)う。　洗濯(　　たく)する。

8 洋　訓 _____　洋 ☐ ☐ ☐ ☐ ☐　442
　　　音 _____　洋食(　　　　　)

9 別　訓 _____　別 ☐ ☐ ☐ ☐ ☐　443
　　　音 _____　特別(　　　　)な こと

★
楽(らく)158

103

ステップ2

10 幸
幸 □□□□ 444
訓_____
音_____
幸(　　)せな 人

11 笑
笑 □□□□ 445
訓_____
音_____
大きい 声で 笑(　　)う。

12 泣
泣 □□□□ 446
訓_____
音_____
子どもが 泣(　　)いて いる。

13 静
静 □□□□ 447
訓_____
音_____
静(　　)かな 店

14 変
変 □□□□ 448
訓_____
音_____
大変(　　　　)な 仕事
サイズを 変(　　)える。

15 増
増 □□□□ 449
訓_____
音_____
輸出が 増(　　)える。

16 減
減 □□□□ 450
訓_____
音_____
輸出が 減(　　)る。

17 倍
倍 □□□□ 451
訓_____
音_____
2倍(　　　)

18 祖
祖 □□□□ 452
訓_____
音_____
祖父★(　　　　)
祖母★(　　　　)

19 薄
薄 □□□□ 453
訓_____
音_____
薄(　　　)い 本

20 厚
厚 □□□ 454
訓_____
音_____
厚(　　　)い 辞書

21 政
政 □□□ 455
訓_____
音_____
政治★(　　　　　)

22 美
美 □□□ 456
訓_____
音_____
美術館(　　　　　　)
美(　　　)しい 花

23 連
連 □□□ 457
訓_____
音_____
連(　　)れて 行く。
国連(　　　　　)

24 絡
絡 □□□ 458
訓_____
音_____
学校に 連絡(　　　　　)する。

祖父★(そふ)60　祖母★(そぼ)59　政治★(せいじ)340

104

① この 交差点(さてん)は 狭くて、事故が 起(お)きやすいですから、注意して ください。

② 林(はやし)さんは 頭も いいし、おもしろいし、それに いつも すてきな 服を

着て います。

● ③ 1年で いちばん 夜が 短いのは いつですか。

……6月22日ごろです。

④ この 上着は 軽くて、着やすいですね。

……ええ。それに 汚れたら、家で 洗えますよ。

⑤ ちょっと 部屋が 暗(くら)いですね。

● ……それを 右へ 回すと、電気が もっと 明るく なります。

⑥ カリナさんは 甘い 物を 食べても、太(ふと)りませんね。何か 特別な ことを

して いるんですか。

……一週間に 一回 テニスを して います。今度 いっしょに いかがですか。

⑦　この いす、デザインは いいですが、低すぎて、座りにくいですね。

　　……あ、いすの 高さは 調節できますよ。

⑧　わたしが 働いて いる 洋食レストランは 休みも 多いし、仕事も 楽です。

⑨　曇りの 日は 洗濯物が 乾きにくいです。

① この 交差点(さてん)は せまくて、事故(こ)が おきやすいですから、ちゅういして

　ください。

② 林(はやし)さんは あたまも いいし、おもしろいし、それに いつも すてきな

　ふくを 着て います。

③ 1年で いちばん よるが みじかいのは いつですか。

　……6月22日ごろです。

④ この うわぎは かるくて、着やすいですね。

　……ええ。それに よごれたら、家で あらえますよ。

⑤ ちょっと へやが 暗(くら)いですね。

　……それを 右へ まわすと、でんきが もっと 明るく なります。

⑥ カリナさんは あまい 物を 食べても、太りませんね。何か とくべつな

　　ことを して いるんですか。

　　……一週間に いっかい テニスを して います。今度 いっしょに

　　　いかがですか。

⑦ この いす、デザインは いいですが、ひくすぎて、すわりにくいですね。

　　……あ、いすの 高さは 調節できますよ。

⑧ わたしが 働いて いる ようしょくレストランは 休みも 多いし、仕事も

　　らくです。

⑨ 曇りの ひは せん濯ものが 乾きにくいです。

① 姉は 中学校で 美術を 教えて います。

② 先月 結婚を 申し込まれた イーさんは とても 幸せそうです。
　　　　　　　し

③ 泣いて いるんですか。

……いいえ、笑いすぎて、涙が 出たんです。
　　　　　　　　　　　　（なみだ）

④ 政治の 話は 難しいですが、大切だと 思います。

⑤ 今年は 輸出が 増えそうですか、減りそうですか。

……さあ、どう なるか、わかりません。

⑥ 春に 着る きれいな 色の 薄い コートが 欲しいです。

⑦ 東京スカイツリーの 上から 見た 景色は ほんとうに 美しかったです。
　（とうきょう）　　　　　　　　　（けしき）

⑧ この 説明書は 字が 小さくて、読みにくいです。字の 大きさを 2倍に

しましょう。

⑨ この 辞書は 厚くて、重いので、電子辞書を 買いました。

⑩ きのう ミラーさんに 安くて、おいしい 食堂へ 連れて 行って

　　もらいました。

⑪ もう 遅いですから、静かに して いただけませんか。

⑫ 祖父と 祖母は 孫（まご）に 会って、うれしそうです。

⑬ 休む ときは、必ず 学校に 連絡して ください。

名前 ＿＿＿＿＿＿＿

① あねは ちゅうがっこうで びじゅつを 教えて います。

② 先月 結婚を もうしこまれた イーさんは とても しあわせそうです。
　　　　　　　し

③ ないて いるんですか。

● ……いいえ、わらいすぎて、涙_{なみだ}が 出たんです。

④ せいじの 話は むずかしいですが、たいせつだと 思います。

⑤ 今年は ゆしゅつが ふえそうですか、へりそうですか。

　……さあ、どう なるか、わかりません。

⑥ はるに きる きれいな 色の うすい コートが ほしいです。

● ⑦ 東京_{とうきょう}スカイツリーの 上から 見た 景色_{けしき}は ほんとうに うつくしかったです。

⑧ この せつめいしょは じが 小さくて、読みにくいです。じの 大きさを

2ばいに しましょう。

⑨ この じしょは あつくて、おもいので、でんしじしょを 買いました。

⑩　きのう ミラーさんに 安くて、おいしい しょくどうへ つれて 行って

　　もらいました。

⑪　もう おそいですから、しずかに して いただけませんか。

⑫　そふと そぼは 孫に 会って、うれしそうです。

⑬　休む ときは、かならず 学校に れんらくして ください。

Ⅰ　　　　　　　　　　　　　　　　　　　　　　　　　　　　2×25

① 朝 早く 起きて、公園で ジョギングを するのは 気持ちが いいです。
　　　　 ‾1‾　　 ‾2‾　　　　　　　　　　　　　　 ‾3‾

② わたしは 1週間に 1回 近所の 子どもを 集めて、本を 読んで やります。
　　　　　　　　　 ‾4‾　　　　　　　 ‾5‾

③ けさ 天気が よかったので、洗濯しましたが、午後 雨が 降って、ぬれて
　　　　　　　　　　　　　　 ‾6‾

　 しまいました。

④ ここに ある 家具は 結婚の お祝いに 友達が くれたんです。
　　　　　　 ‾7‾　 ‾8‾　　(いわ)

⑤ 娘が 大学に 進学できて、安心しました。
　(むすめ)　　 ‾9‾　　　 ‾10‾

⑥ これを 右へ 回すと、光が 強く なります。
　　　　　 ‾11‾　 ‾12‾　‾13‾

⑦ 手を 洗う とき、ここを 軽く 押すと、水が 出ます。
　　　 ‾14‾　　　　　 ‾15‾ (お)

⑧ あそこに 山で 死んだ 人の 名前が 書いて あります。
　　　　　　　　 ‾16‾

⑨ 来週 給料を もらったら、家族と おいしい 洋食を 食べに 行く つもりです。
　　　 ‾17‾　　　　　　　　　　　　　　 ‾18‾
　　(きゅう)

⑩ ゆうべ 全部で 何本 ビールを 飲んだんですか。
　　　　 ‾19‾　‾20‾

　 ……6本 飲みました。
　　　 ‾21‾

⑪ さっき 冷房の 温度を 下げたんですが、ちょっと 上げても いいですか。
　　　　(れいぼう) ‾22‾ ‾23‾　　　　　　　　　 ‾24‾
　　　　　　　(おん)

⑫ わたしは 1日に 4時間以上 インターネットを します。
　　　　　　　　　　 ‾25‾

1	2	3	4
5	6	7	8
9	10	11	12
13	14	15	16
17	18	19	20
21	22	23	24
25			

復3

113

① 男の 人は 葬_{そう}しきに くろの スーツを きて、くろの ネクタイを して
行きます。
<u>葬しき</u>
1 <u>くろ</u>
2 <u>きて</u>
3

② これは <u>せきゆ</u>から 作られた 製_{せい}ひんです。
4 <u>製</u>ひん
5

③ つぎの <u>かいぎ</u>は <u>とくべつ</u>な かいぎですから、<u>しゅしょう</u>も <u>しゅっせき</u>する
6 7 8 9 10
予定_{よ てい}です。

④ かぜを ひいて、朝から <u>あたま</u>が 痛_{いた}いです。熱_{ねつ}を 測_{はか}りたいので、<u>たい温_{おん}けい</u>を
11 12
<u>かして</u> くださいませんか。
13

⑤ あつく なったので、髪_{かみ}を <u>みじかく</u> しました。
14 15

⑥ <u>や賃_{ちん}</u>を 払_{はら}ったり、ガス<u>だい</u>や 電気だいを 払ったり すると、お金は ほとんど
16 17
なくなって しまいます。

⑦ きのう <u>おみやげ</u>に アメリカ<u>さん</u>の <u>ぎゅうにく</u>を もらいました。
18 19 20

⑧ 京都_{きょうと}の 町を <u>あんない</u>しながら 日本_{にほん}の 寺_{てら}や 神_{じん}じゃに ついて
21 22
<u>せつめい</u>しました。
23

⑨ 高い 山には まだ 雪_{ゆき}が ありますが、<u>ひくい</u> 山には もう きれいな 花が
24
咲_さいて います。

⑩ 図書館の 前を <u>とおって</u>、少し 行くと、右に コンビニが あります。
25

1	2	3	4
5	6	7	8
9	10	11	12 温_{おん}
13	14	15	16
17	18	19	20
21	22	23	24
25			

Ⅰ　　　　　　　　　　　　　　　　　　　　　　　　　　　　　　　1×60

① 一人で 旅行を する とき、時刻表が 必要です。絶対に 忘れないで
　　　　　　　　　　　　　　こく
　　　　　　　　　　　　　　 1   2   3   4
　ください。行く まえに、確認した ほうが いいですよ。
　　　　　　　　　　にん
　　　　　　　　　　5

② 世界の 平和の ために、何が できるか、考えましょう。
　　6   7   　　　　　　　　　　　　8

③ 交通事故で けがを した 人が 増えて、先月の 2倍に なりました。
　　9   　　　　　　　　　　　10   　　　　　11

④ 外は 暖かいので、近くの スーパーへ 行く ときは、薄い セーターだけで
　12 13   　　　　　　　　　　　　　　　　　　　　14
　十分 ですよ。上着は 要りませんよ。
　15   　　　　　　16

⑤ 日本へ 来た 目的は 何ですか。
　にほん　　　17
　……大学院で 政治を 勉強する ことです。
　　　18   19

⑥ 病気に なると、困りますから、汚い 手で 赤ちゃんに 触らないで ください。
　20   　　　　21   　　　　22   　　23   　　さわ

⑦ 寒いですか。暖房を つけましょうか。
　24   　　　25   ぼう
　……ええ。お願いします。
　　　　　26

⑧ 部屋の 壁が 厚いですから、隣の 音は 全然 聞こえません。
　27   かべ 28   　　　となり 29   30

⑨ 残念ですが、今夜は 皆さんと いっしょに カラオケに 行けません。学校に
　31   　　　32   33
　残って、あしたの 試験の 準備を しなければ ならないんです。
　34   　　　　　35   じゅんび

⑩ 汚れた 川を きれいに するのは 大変です。ごみを 捨てないように しましょう。
　36   　　　　　　　　　　　37   　　　　　　38

⑪ よく 確かめたんですが、この 紙は どちらが 表か、わかりません。
　　　39   　　　　　　　40   　　　　　41

⑫ 人は 笑いますが、犬は 笑わないと 言われて います。
　　　42

⑬ 来年は 日本の 米の 輸入が 減るか どうか、まだ はっきり わかりません。
　　　　　　　43   44   45

⑭ 忘年会の お知らせの メールを 出しましたが、木村さんから まだ 返事が
　46   　　　　　　　　　　　　　　　きむら　　　　　　47
　来て いません。

⑮ 日本の 古い 文化に ついて 研究しようと 思って います。
　　　　　　48   　　　49

⑯ 母は 操作が 簡単な ケータイを 買いました。
　　　50 そう 51

⑰ 健康の ために、何か して いますか。
　52

⑱ 2階の 子どもたち、うるさいですね。

　……そうですね。ちょっと 様子を 見て 来ます。
　　　　　　　　　　　　　53

⑲ 22世紀の 日本の 社会は どう なって いるでしょうか。
　　54　　　　　　　55

⑳ 祖父と 祖母は 歌舞伎に 興味が あります。
　56　　57　　　　　　58

㉑ 学校の 規則は 守るように して ください。
　　　　59　　60

Ⅱ　　　　　　　　　　　　　　　　　　　　　　　　　1×40
① 来月の ハイキングは どこに しますか。どんな ところが いいか、そうだんして
　　　　　　　　　　　　　　　　　　　　　　1　　　　　　　2
ください。

② りゅうがくせいの カリナさんが ほうりつの 本は むずかしい 漢字が 多くて、
　3　　　　　　　　　　　　　　4　　　　　5
じ書で 調べても、なかなか 読めないと 言いました。
6

③ 子どもが ねむくて、ないて いますから、もう 少し しずかに して ください。
　　　　　7　　　　8　　　　　　　　　　　　　　9

④ この 本を 読むと、ふくざつな 日本の けいざいが よく わかります。
　　　　　　　　　10　　　　　　11

⑤ マラソン大会に さんかしたい 人は もうしこみは あさってまでですから、
　　　　　　　12　　　　　　13
かならず れんらくして ください。
14　　　15

⑥ JL109びんは 何時に しゅっぱつして、何時に パリに 到ちゃくするか、知って
　　　16　　　　　17　　　　　　　　　　　　　18
いますか。……いいえ。あした ちょくせつ くうこうに 聞いて みます。
　　　　　　　　　　　　19　　　　20

⑦ 先月 赤ちゃんが 生まれた チンさんは とても しあわせそうです。
　　　　　　　　　　　　　　　　　　　　21

⑧ 友達が いけばなの 先生を しょうかいして くれました。
　　　22　　　　　　23

⑨ けさ 国で おきた じ震の じょうほうが 少なくて、心配です。
　　　　　24　　25　　26

⑩ この 辺は 先週の たいふうで 木が たおれたり、いえが 壊れたり しました。
　　　　　　　　27　　　　　28　　　29

⑪ この 壁の 色を かえると、部屋が もっと 明るく なりますよ。
　　　　　　　30

⑫ 子どもの とき、父に びじゅつかんへ つれて 行って もらいました。おとなに
　　　　　　　　31　　　　32　　　　　　　　　　　33
なってからも、そこで 見た うつくしい しぜんの 絵を まだ よく おぼえて います。
　　　　　　　　　　34　　　　35　　　　　　　　　36

⑬ ゆうめいな かしゅが きのう 新しい きょくを うたいました。
　37　　　38　　　　　　39

⑭ 早く はっぴょうの 準備を した ほうが いいですよ。
　　　40

116

I 1×60

1	2	3	4
5	6	7	8
9	10	11	12
13	14	15	16
17	18	19	20
21	22	23	24
25	26	27	28
29	30	31	32
33	34	35	36
37	38	39	40
41	42	43	44
45	46	47	48
49	50	51	52
53	54	55	56
57	58	59	60

復
3

1	2	3	4
5	6	7	8
9	10	11	12
13 し み	14	15	16
17	18	19	20
21	22 け	23	24
25	26	27	28
29	30	31	32
33	34	35	36
37	38	39	40

名前 ＿＿＿＿＿＿＿＿

ステップ1

1 卒　訓 ＿＿＿＿　音 ＿＿＿＿
卒 ☐ ☐ ☐ ☐　459
卒業(　　　　)する。

2 引　訓 ＿＿＿＿　音 ＿＿＿＿
引 ☐ ☐ ☐ ☐　460
レバーを 引(　)く。　割引(わり 　　)

3 ● 越　訓 ＿＿＿＿　音 ＿＿＿＿
越 ☐ ☐ ☐ ☐　461
引っ越し(　っ 　し)

4 太　訓 ＿＿＿＿　音 ＿＿＿＿
太 ☐ ☐ ☐ ☐　462
太(　)る。　太陽(　　 よう)

5 細　訓 ＿＿＿＿　音 ＿＿＿＿
細 ☐ ☐ ☐ ☐　463
細(　)い 木　細(　　)かい お金

6 働　訓 ＿＿＿＿　音 ＿＿＿＿
働 ☐ ☐ ☐ ☐　464
5時まで 働(　　　)く。

7 ● 押　訓 ＿＿＿＿　音 ＿＿＿＿
押 ☐ ☐ ☐ ☐　465
ボタンを 押(　)す。

8 好　訓 ＿＿＿＿　音 ＿＿＿＿
好 ☐ ☐ ☐ ☐　466
好(　)きな スポーツ

9 冷　訓 ＿＿＿＿　音 ＿＿＿＿
冷 ☐ ☐ ☐ ☐　467
冷(　)たい 水　冷蔵庫(　ぞうこ) 水で 冷(　)やす。

★★
火(ひ)[37]

ステップ2

10 寝
訓＿＿＿＿
音＿＿＿＿

寝□□□□ 468
早く 寝（　）る。

11 受
訓＿＿＿＿
音＿＿＿＿

受□□□□ 469
試験を 受（　）ける。
受付

12 付
訓＿＿＿＿
音＿＿＿＿

付□□□□ 470
受付（　　　） ポケットが
付（　）いて いる。

13 飛
訓＿＿＿＿
音＿＿＿＿

飛□□□□ 471
飛行機（　　　）
鳥が 飛（　）ぶ。

14 船
訓＿＿＿＿
音＿＿＿＿

船□□□□ 472
船（　　　）で 行く。
船便（　　　）

15 階
訓＿＿＿＿
音＿＿＿＿

階□□□□ 473
2 階（　　　）
何階（　　　）

16 段
訓＿＿＿＿
音＿＿＿＿

段□□□□ 474
階段（　　　）

17 値
訓＿＿＿＿
音＿＿＿＿

値□□□□ 475
値段（　　　）

18 役
訓＿＿＿＿
音＿＿＿＿

役□□□□ 476
役（　　　）に 立つ。
市役所（　　　　　）

19 初
訓＿＿＿＿
音＿＿＿＿

初□□□□ 477
「初（　　　）めまして。」

20 優
訓＿＿＿＿
音＿＿＿＿

優□□□□ 478
優（　　　）しい 人
優勝★（　　　　　）

21 因
訓＿＿＿＿
音＿＿＿＿

因□□□□ 479
原因（　　　）

22 論
訓＿＿＿＿
音＿＿＿＿

論□□□□ 480
論文（　　　）

23 途
訓＿＿＿＿
音＿＿＿＿

途□□□□ 481
学校へ 来る 途中（　　　　　）

24 係
訓＿＿＿＿
音＿＿＿＿

係□□□□ 482
係員（　　　　　）

優勝★（ゆうしょう）233　留守★（るす）212 336　宅配便★（たくはいびん）142　一生 懸命★★★★（いっしょう けんめい）22

120

① この ボタンを 押せば、線を 細く したり、太く したり できるんですよ。

　　……へえ。それなら 簡単に できそうです。

② ああ、のどが かわいた。何か 冷たい 物が 飲みたいね。

● 　　……冷蔵庫で ビールを 冷やして おいたから、飲もうか。

③ パスポートは どこですか。

　　……机の 引き出しに しまって あります。

④ 来週 引っ越しします。

⑤ 細かい お金が なくて、ジュースが 買えませんでした。

● ⑥ 日本が 好きなので、大学院を 卒業したら、日本の 会社で 働きたいです。

⑦ 横浜市と 千葉市と どちらが 大きいですか。

⑧ この 服は フリーマーケットで 買いました。300円 割引に なりました。

⑨ ガスレンジの ★★火が すぐ 消えて しまうんですが、見に 来て

いただけませんか。

⑩　これは 沖縄（おきなわ）の　海と　太陽（よう）の　絵（え）です。

① この ボタンを おせば、線を ほそく したり、ふとく したり できるんですよ。

　　……へえ。それなら かんたんに できそうです。

② ああ、のどが かわいた。何か つめたい 物が 飲みたいね。

●　　……れい蔵庫で ビールを ひやして おいたから、飲もうか。

③ パスポートは どこですか。

　　……つくえの ひきだしに しまって あります。

④ 来週 ひっこしします。

⑤ こまかい お金が なくて、ジュースが 買えませんでした。

●　⑥ 日本が すきなので、だいがくいんを そつぎょうしたら、日本の 会社で

　　はたらきたいです。

⑦ 横浜しと 千葉しと どちらが 大きいですか。

⑧ この ふくは フリーマーケットで 買いました。300円 割びきに なりました。

⑨ ガスレンジの ひが すぐ 消^きえて しまうんですが、見に 来て

いただけませんか。

⑩ これは 沖縄^{おきなわ}の 海と たい陽^{よう}の 絵^えです。

① わからない ことは あちらに いる 係員に 聞いて ください。

② 子どもが たった今 寝た ところなので、静かに して ください。

③ 隣の 人は 留守の はずです。大学の 試験を 受けに 行くと 言って

いましたから。

④ お金が あって、優しい 人と 結婚したいです。

⑤ きのう 市役所へ 行く 途中で いい 店を 見つけましたから、今度

行きましょう。

⑥ 飛行機は あまり 好きじゃ ないので、船で 行きたいです。

⑦ 初めて 会議に 参加する 方は 受付で 名前を 書いて ください。

⑧ 故障の 原因は まだ 調べて いません。

⑨ 今 論文を 書いて いる ところです。

⑩ 荷物は きのう 宅配便で 送りました。

⑪ 空を 飛んで みたいと 思った ことが ありますか。

⑫　この　かばんは　ポケットが　付いて　いないので、使いにくいです。

⑬　<ruby>一生<rt>★★★★</rt></ruby><ruby>懸命<rt>けんめい</rt></ruby>　練習したのに、優勝できなくて、残念です。

⑭　この　荷物を　<ruby>中国<rt>ちゅうごく</rt></ruby>に　送りたいんですが、船便で　送ったら、何日ぐらい

かかりますか。

⑮　今年は　米の　値段が　上がりそうです。

⑯　健康の　ために、エレベーターに　<ruby>乗<rt>の</rt></ruby>らないで、階段を　使うように　して

います。

126

① わからない ことは あちらに いる <u>かかりいん</u>に 聞いて ください。

② 子どもが たった今 <u>ね</u>た ところなので、<u>しず</u>かに して ください。

③ <u>隣(となり)</u>の 人は <u>るす</u>の はずです。大学の 試験を <u>うけ</u>に 行くと 言って

いましたから。

④ お金が あって、<u>やさ</u>しい 人と <u>けっこん</u>したいです。

⑤ きのう <u>しやくしょ</u>へ 行く <u>とちゅう</u>で いい 店を 見つけましたから、今度

行きましょう。

⑥ <u>ひこうき</u>は あまり 好きじゃ ないので、<u>ふね</u>で 行きたいです。

⑦ <u>はじ</u>めて 会議に <u>さんか</u>する 方は <u>うけつけ</u>で 名前を 書いて ください。

⑧ 故障の <u>げんいん</u>は まだ <u>調(しら)</u>べて いません。

⑨ 今 <u>ろんぶん</u>を 書いて いる ところです。

⑩ 荷物は きのう <u>宅(たく)はいびん</u>で 送りました。

⑪ 空を <u>と</u>んで みたいと 思った ことが ありますか。

⑫ この かばんは ポケットが <u>つ</u>いて いないので、使いにくいです。

⑬ <u>いっしょう</u>懸命 練習したのに、<u>ゆうしょう</u>できなくて、残念です。

⑭ この 荷物を 中国に 送りたいんですが、<u>ふなびん</u>で 送ったら、何日ぐらい

かかりますか。

⑮ 今年は <u>こめ</u>の <u>ねだん</u>が <u>あ</u>がりそうです。

⑯ 健康の ために、エレベーターに <u>乗</u>らないで、<u>かいだん</u>を 使うように して

います。

47・48 課

名前 _____

ステップ1

1	声	訓 _____ 音 _____	声 □ □ □ □	鳥の 声( )	483
2	暗	訓 _____ 音 _____	暗 □ □ □ □	暗( )い 部屋　暗証番号(しょう)	484
3	弱	訓 _____ 音 _____	弱 □ □ □ □	体が 弱( )い。	485
4	遠	訓 _____ 音 _____	遠 □ □ □ □	遠( )い 国	486
5	野	訓 _____ 音 _____	野 □ □ □ □	野菜(さい)	487
6	反	訓 _____ 音 _____	反 □ □ □ □	彼の 意見に 反対(たい)だ。	488
7	伝	訓 _____ 音 _____	伝 □ □ □ □	部長に 伝( )える。　仕事を ※手伝( )う。	489
8	若	訓 _____ 音 _____	若 □ □ □ □	若( )い 人	490
9	両	訓 _____ 音 _____	両 □ □ □ □	両親( )	491

※手伝う(てつだう)　人口(じんこう)¹²⁵　別れる(わかれる)⁴⁴³

47
・
48

129

ステップ2

10 遊 遊□□□□ 492
訓＿＿＿＿＿
音＿＿＿＿＿
公園で 遊(　　　)ぶ。

11 選 選□□□□ 493
訓＿＿＿＿＿
音＿＿＿＿＿
大学を 選(　　　)ぶ。

12 球 球□□□□ 494
訓＿＿＿＿＿
音＿＿＿＿＿
野球(　　　)

13 育 育□□□□ 495
訓＿＿＿＿＿
音＿＿＿＿＿
花を 育(　　　)てる。
教育(　　　　)

14 温 温□□□□ 496
訓＿＿＿＿＿
音＿＿＿＿＿
温(　　　)かい 飲み物
温度(　　　)

15 燃 燃□□□□ 497
訓＿＿＿＿＿
音＿＿＿＿＿
燃(　　)える ごみ

16 吹 吹□□□□ 498
訓＿＿＿＿＿
音＿＿＿＿＿
風が 吹(　　　)く。

17 落 落□□□□ 499
訓＿＿＿＿＿
音＿＿＿＿＿
荷物が 落(　　　)ちる。
財布を 落(　　　)とす。

18 届 届□□□□ 500
訓＿＿＿＿＿
音＿＿＿＿＿
荷物が 届(　　　)く。
カタログを 届(　　　)ける。

19 賛 賛□□□□ 501
訓＿＿＿＿＿
音＿＿＿＿＿
彼の 意見に
賛成(　　　　　)だ。

20 恋 恋□□□□ 502
訓＿＿＿＿＿
音＿＿＿＿＿
恋人★★(　　　　)

21 庭 庭□□□□ 503
訓＿＿＿＿＿
音＿＿＿＿＿
庭(　　　)で 遊ぶ。

22 妻 妻□□□□ 504
訓＿＿＿＿＿
音＿＿＿＿＿
わたしの 妻(　　　)

23 夫 夫□□□□ 505
訓＿＿＿＿＿
音＿＿＿＿＿
夫(　　　)に 電話する。
丈夫(じょう　　)な 体

24 由 由□□□□ 506
訓＿＿＿＿＿
音＿＿＿＿＿
自由(　　　)に 書く。

恋人★★(こいびと)[11]　★実験(じっけん)[260]　★化粧(けしょう)[418]　★相手(あいて)[433]

130

① 子どもたちの 元気な 声が しますね。

　　……みんな 楽しそうですね。

② 両親は 家で 野菜を 作って いて、兄や わたしに よく 送って くれます。

●③ 娘は 小さい とき、体が 弱かったですが、中学校で 水泳を 始めてから、

　　あまり かぜを ひきません。

④ 休みの 日は 子どもに 食事の 準備を 手伝わせて います。

⑤ ミラーさんは どんな 人ですか。

　　……若くて、いつも 元気な 人ですよ。

●⑥ 暗い 所で 本を 読むと、目が 悪く なりますよ。

　　……はい、気を つけます。

⑦ 父は わたしの 結婚に 反対でしたが、彼に 会って、少し 気持ちが

　　変わったようです。

⑧ 先生に かぜで 学校を 休むと 伝えて くださいませんか。

　……わかりました。

⑨ ここは 駅から 遠いので、ちょっと 不便ですね。

　……ええ。ほかの アパートも 見て みましょう。

⑩ 暗証番号は だれにも 教えないで ください。

⑪ 京都の 人口は 何人か、知って いますか。

⑫ 別れる とき、「さようなら」と 言います。

① 子どもたちの 元気な <u>こえ</u>が しますね。

　　……みんな 楽しそうですね。

② <u>りょうしん</u>は 家で <u>や菜</u>を 作って いて、兄や わたしに よく 送って

　　<u>く</u>れます。

③ <u>娘</u>は 小さい とき、体が <u>よわ</u>かったですが、<u>ちゅうがっこう</u>で <u>すいえい</u>を

　　<u>はじ</u>めてから、あまり かぜを ひきません。

④ 休みの 日は 子どもに 食事の <u>準備</u>を <u>てつだ</u>わせて います。

⑤ ミラーさんは どんな 人ですか。

　　……<u>わか</u>くて、いつも 元気な 人ですよ。

⑥ <u>くら</u>い 所で 本を 読むと、目が <u>わる</u>く なりますよ。

　　……はい、気を つけます。

⑦ 父は わたしの <u>けっこん</u>に <u>はん対</u>でしたが、彼に 会って、少し <u>きもち</u>が

　　<u>か</u>わったようです。

⑧　先生に　かぜで　学校を　休むと　つたえて　くださいませんか。

　　……わかりました。

⑨　ここは　駅から　とおいので、ちょっと　不便ですね。

　　……ええ。ほかの　アパートも　見て　みましょう。

⑩　あん証ばんごうは　だれにも　教えないで　ください。

⑪　京との　じんこうは　何人か、知って　いますか。

⑫　わかれる　とき、「さようなら」と　言います。

① 妻は 娘(むすめ)を いつも この 公園で 自由に 遊ばせて います。

② 祖父は わたしに 野球を やれと 言いました。

③ どうして この 大学を 選んだか、教えて ください。

● ④ ★実験は きょうの 午後 1時に 行われて、成功(こう)したそうです。

⑤ ワンさんの うちの 庭には たくさん 花が あります。花を 育てるのが

好きなようです。

⑥ 冬は 毎朝 温かい 牛乳(にゅう)を 飲んでから、学校へ 行きます。

⑦ ★化粧(しょう)を してから、出かけます。

● ⑧ 変な においが します。何か 燃えて いるようです。

⑨ ゆうべ 強い 風が 吹いたので、庭に 木の 葉(は)が たくさん 落ちて います。

⑩ あなたは 彼の 意見に 賛成ですか。

⑪ 連休に 会社の 人と 温泉(せん)に 行きました。これから 恋人に お土産を

届けます。

⑫　あしたの 試合の 相手は とても 強そうです。

⑬　ボーナスは 子どもの 教育の ために、貯金します。

⑭　夫は 来週から 出張で アメリカへ 行きます。

⑮　気分は よく なりましたか。

　　……ええ、もう 大丈夫です。

① つまは 娘(むすめ)を いつも この こうえんで じゆうに あそばせて います。

② そふは わたしに やきゅうを やれと 言いました。

③ どうして この 大学を えらんだか、教えて ください。

● ④ じっけんは きょうの 午後 1時に おこなわれて、せい功(こう)したそうです。

⑤ ワンさんの うちの にわには たくさん 花が あります。花を そだてるのが

好きなようです。

⑥ 冬は 毎朝 あたたかい 牛乳(にゅう)を 飲んでから、学校へ 行きます。

⑦ け粧(しょう)を してから、出かけます。

● ⑧ へんな においが します。何か もえて いるようです。

⑨ ゆうべ 強い 風が ふいたので、にわに 木の 葉(は)が たくさん おちて います。

⑩ あなたは 彼の 意見に さんせいですか。

⑪ れんきゅうに 会社の 人と おん泉(せん)に 行きました。これから こいびとに

おみやげを とどけます。

47
・
48

137

⑫ あしたの しあいの あいては とても 強そうです。

⑬ ボーナスは 子どもの きょういくの ために、貯金します。

⑭ おっとは 来週から 出張で アメリカへ 行きます。

⑮ きぶんは よく なりましたか。

　　……ええ、もう だい丈ぶです。

49・50課

ステップ1

1	京	訓 ＿＿＿＿	京 ☐ ☐ ☐ ☐	507
		音 ＿＿＿＿	東京（　　　　　）	
2	私	訓 ＿＿＿＿	私 ☐ ☐ ☐ ☐	508
		音 ＿＿＿＿	私（　　　）が 行きます。 私（　　　　　）が お持ちします。	
3	乗	訓 ＿＿＿＿	乗 ☐ ☐ ☐ ☐	509
		音 ＿＿＿＿	バスに 乗（　　）る。	
4	菜	訓 ＿＿＿＿	菜 ☐ ☐ ☐ ☐	510
		音 ＿＿＿＿	野菜（　　　　）	
5	吸	訓 ＿＿＿＿	吸 ☐ ☐ ☐ ☐	511
		音 ＿＿＿＿	たばこを 吸（　　）う。	
6	記	訓 ＿＿＿＿	記 ☐ ☐ ☐ ☐	512
		音 ＿＿＿＿	★★★★★★ 日　記（　　　　）	
7	雪	訓 ＿＿＿＿	雪 ☐ ☐ ☐ ☐	513
		音 ＿＿＿＿	雪（　　　）が 降る。	
8	絵	訓 ＿＿＿＿	絵 ☐ ☐ ☐ ☐	514
		音 ＿＿＿＿	絵（　　）を かく。	
9	消	訓 ＿＿＿＿	消 ☐ ☐ ☐ ☐	515
		音 ＿＿＿＿	火が 消（　　）える。 消しゴム（　　しゴム）	

★★★★★★
日　記(にっき)¹⁵　★進む(すすむ)⁴¹²

ステップ2

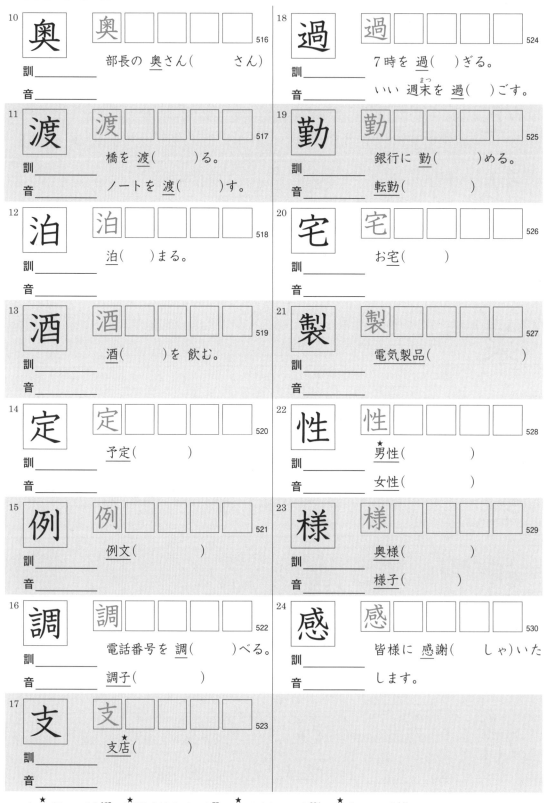

#	漢字	例文	No.
10	奥	奥 □□□□ 部長の 奥さん（　　さん）	516
11	渡	渡 □□□ 橋を 渡（　　）る。 ノートを 渡（　　）す。	517
12	泊	泊 □□□ 泊（　　）まる。	518
13	酒	酒 □□□ 酒（　　）を 飲む。	519
14	定	定 □□□ 予定（　　）	520
15	例	例 □□□ 例文（　　）	521
16	調	調 □□□ 電話番号を 調（　　）べる。 調子（　　）	522
17	支	支 □□□ 支店★（　　）	523
18	過	過 □□□□ 7時を 過（　　）ぎる。 いい 週末（まっ）を 過（　　）ごす。	524
19	勤	勤 □□□ 銀行に 勤（　　）める。 転勤（　　　）	525
20	宅	宅 □□□ お宅（　　）	526
21	製	製 □□□ 電気製品（　　　）	527
22	性	性 □□□ 男性★（　　　） 女性（　　　）	528
23	様	様 □□□ 奥様（　　　） 様子（　　　）	529
24	感	感 □□□ 皆様に 感謝（　しゃ）いたします。	530

支店★（してん）185　男性★（だんせい）75　参る★（まいる）384　心★（こころ）141

140

① 東京は どこへ 行っても、人が 多いですね。

……ええ。でも、5年も 住んで いるので、私は もう 慣れました。

② すみません。富士大学へ 行きたいんですが、バス乗り場は どこですか。

……近くですが、わかりにくいので、私が ご案内します。

③ 最近 野菜が 高く なりましたね。

……そうですね。ほんとうに 困りますね。

④ 壁に 掛けて ある 絵、すてきですね。あなたが かいたんですか。

……ええ。日本へ 来て、初めて 雪を 見た とき、きれいだったので、

かきました。

⑤ ここで たばこを 吸っても いいですか。

……ええ、いいですよ。

⑥ 毎日 日記を 書いて いるんですか。すごいですね。

……いいえ、そんなに 大変じゃ ありません。ずっと 続けて いますから。

⑦　ちょっと 寒いので、エアコンを 消して いただけませんか。

⑧　隣の 部屋は 電気が 消えて います。だれも いないようですね。
　　（となり）

⑨　3月に 大学を 卒業して、大学院に 進みます。

① とうきょうは どこへ 行っても、人が 多いですね。

　　……ええ。でも、5年も すんで いるので、わたしは もう なれました。

② すみません。富士大学へ 行きたいんですが、バスのりばは どこですか。

　　……近くですが、わかりにくいので、わたくしが ごあんないします。

③ 最きん やさいが 高く なりましたね。

　　……そうですね。ほんとうに 困りますね。

④ 壁に 掛けて ある え、すてきですね。あなたが かいたんですか。

　　……ええ。日本へ 来て、初めて ゆきを 見た とき、きれいだったので、

　　かきました。

⑤ ここで たばこを すっても いいですか。

　　……ええ、いいですよ。

⑥ 毎日 にっきを 書いて いるんですか。すごいですね。

　　……いいえ、そんなに 大変じゃ ありません。ずっと つづけて いますから。

⑦　ちょっと 寒いので エアコンを けして いただけませんか。

⑧　隣の 部屋は 電気が きえて います。だれも いないようですね。

⑨　3月に 大学を そつぎょうして、大学院に すすみます。

① 奥様は いらっしゃいますか。

　　……いいえ、今 出かけて おりますが…。

② 初めまして。田中と 申します。

● 自動車会社に 勤めて おります。先月 転勤で 東京へ ★参りました。

　　どうぞ よろしく。

③ この スーパーで お酒を 売って いますか。

④ 課長、出張の 予定表が できました。

　　……そこに 置いといて ください。

● ⑤ この 文型を 使って 例文を 作りましょう。

⑥ 今 支店の 電話番号を 調べて おります。少し お待ち ください。

⑦ この クラスは 男性が 9人で、女性が 11人です。

⑧ この 会場に いらっしゃる 皆様に ★心から 感謝いたします。

⑨ いい 週末を お過ごし ください。

⑩　きのう　部長の　お宅へ　伺いました。部長の　娘さんは　有名な

小説家だそうです。

⑪　銀行は　橋を　渡って、まっすぐ　行くと、左に　あります。

⑫　ベトナムへ　行った　とき、日本製の　車を　たくさん　見ました。

⑬　先月　泊まった　旅館は　料理が　とても　よかったです。

① おくさまは いらっしゃいますか。

……いいえ、今 出かけて おりますが…。

② 初めまして。田中と もうします。

● じどうしゃがいしゃに つとめて おります。先月 てんきんで 東京へ

まいりました。どうぞ よろしく。

③ この スーパーで おさけを 売って いますか。

④ 課ちょう、しゅっ張の よていひょうが できました。

……そこに おいといて ください。

● ⑤ この ぶん型を 使って れいぶんを 作りましょう。

⑥ 今 してんの でんわばんごうを しらべて おります。少し お待ち ください。

⑦ この クラスは だんせいが 9人で、じょせいが 11人です。

⑧ この かいじょうに いらっしゃる みなさまに こころから

かん謝いたします。

⑨ いい しゅうまつを おすごし ください。

⑩ きのう 部長の おたくへ 伺いました。部長の 娘さんは 有名な

しょうせつかだそうです。

⑪ 銀行は はしを わたって、まっすぐ 行くと、左に あります。

⑫ ベトナムへ 行った とき、にほんせいの 車を たくさん 見ました。

⑬ 先月 とまった りょかんは 料理が とても よかったです。

I　　　　　　　　　　　　　　　　　　　　　　　　　　　　　　　2×25

① 息子(むすこ)は 絵本(えほん)が とても 好(す)きなので、毎晩 読んで やります。
　　　　　1　　　　　　2

② 今年の 冬(あたた)は 暖かかったですね。
　　　　　3

　……ええ、東京では 一回しか 雪が 降りませんでしたね。
　　　　　4　　　　　5　　　6

③ 朝は 雨と 風が ひどかったですが、今は ずいぶん 弱く なったので、
　　　　7　　8　　　　　　　　　　　　　　　　　9

　出かけられそうです。

④ 買って 来た ワインは 冷蔵庫(ぞうこ)に 入れて、冷やして おきましょう。冷たく すると、
　　　　　　　　　　　　10　　　　　　11　　　　　　　　　　　12

　おいしく なりますから。

⑤ いつも あの 店で 買うんですか。

　……ええ、あの 店の 野菜は 新しいので、とても おいしいんです。
　　　　　　　　　　13

⑥ 反対(たい)の 人は 意見を 言って ください。
　14

⑦ ちょっと 暗いんですが、電気を つけて くださいませんか。
　　　　　　15

⑧ 引っ越ししたいそうですね。……ええ、今 私が 住んで いる アパートは
　16　　　　　　　　　　　　　　　17

　駅から 遠くて、不便なので、もう 少し 近い 所(さが)を 探して いるんです。
　　　　18　　　19　　　　　　　　　　　　20

⑨ きのう 近所で 火事が ありましたが、火は すぐ 消えました。
　　　　21　　22　　　　　　　　23　　　　24

⑩ 彼は 去年 結婚した ばかりなのに、もう 別れたそうです。
　　　　　　　　　　　　　　　　　　　　25

1	2	3	4
5	6	7	8
9	10	11	12
13	14	15	16 　　　　っ
17	18	19	20
21	22	23	24
25			

① 夏休みに 北海道で 馬に のりました。とても 楽しかったです。
　　　　　　　ほっかいどう　うま
　　　　　　　　　　　　　　　 ‾1‾

② 彼女が かく 絵は すばらしいですね。

　　……ええ、私は とくに たい陽と 海の 絵が 好きです。
　　　　　　　　 ‾2‾　‾3‾

③ あ、あの 木の 上に きれいな とりが います。いい こえですね。
　　　　　　　　　　　　　　　　 ‾4‾　　　　　　 ‾5‾

④ 忙しそうですね。てつだいましょうか。……ありがとう ございます。
　 いそが　　　　　　 ‾6‾

⑤ けさ 電車の 中で 後ろの 人に おされて しまいました。
　　　　　　　　　　　　　　　　 ‾7‾

⑥ こまかい お金が たくさん 入って いるので、財布が おもいです。
　 ‾8‾　　　　　　　　　　　　　　　　　　　 さいふ　 ‾9‾

⑦ あの 木は ずいぶん ふといですね。……ああ、あれは 私が 生まれた とき、
　　　　　　　　　　　 ‾10‾

　りょうしんが 植えて くれた 木です。まえは もっと ほそかったんですよ。
　 ‾11‾　　　　 う　　　　　　　　　　　　　　　　　　 ‾12‾

⑧ この 部屋、ちょっと あつすぎませんか。……そうですね。暖房を けしましょうか。
　　　　　　　　　　　 ‾13‾　　　　　　　　　　　　　　 だんぼう　 ‾14‾

⑨ 会議の 準備が できたと 課長に おつたえ ください。……はい、わかりました。
　　　　 じゅんび　　　　　 か　　　　 ‾15‾

⑩ この 学校を そつぎょうしたら、日本語を 使って はたらきたいと 思って います。
　　　　　　　 ‾16‾　　　　　　 にほん　　　　　　 ‾17‾

⑪ にっき：3月31日 すいようび
　 ‾18‾　　　　　　 ‾19‾

　　きょう イーさんと 新宿くの スポーツセンターへ 行った。それから こうえんへ
　　　　　　　　　　　 しんじゅく　 ‾20‾　　　　　　　　　　　　　　　　 ‾21‾

　花見に 行った。わかい 人が 飲んだり、食べたり、歌を 歌ったり して いて、
　　　　　　　 ‾22‾

　楽しそうだった。ゆうがた いっしょに 食事してから、うちへ 帰った。
　　　　　　　　　 ‾23‾

⑫ 健康の ために、たばこを すわない ほうが いいので、やめようと 思って います。
　 けんこう　　　　　　　　 ‾24‾

⑬ 世界で じんこうが いちばん 多い 国は 中国です。
　　　　 ‾25‾　　　　　　　　　　　　 ちゅうごく

1	2	3	4
5	6	7	8
9	10	11	12
13	14	15	16
17	18	19	20
21	22	23	24
25			

Ⅰ　　　　　　　　　　　　　　　　　　　　　　　　　　　　　　　1×60

① こちらの 部屋を 利用したいんですが。
  <u>利用</u>①

  ……あそこに いる 係員に お聞き ください。
  　　　　　　　　<u>係員</u>②

② 子どもには できるだけ 自由に 好きな ことを やらせた ほうが いいと
  　　　　　　　　　　　<u>自由</u>③

  思いますよ。

③ すみません。受付は 何階ですか。……4階で ございます。
  　　　　　　<u>受付</u>④は <u>何階</u>⑤

④ 初めまして。シュミットと 申します。ドイツから 参りました。
  <u>初</u>⑥めまして　　　　　<u>申</u>⑦します　　　　　　<u>参</u>⑧りました

  どうぞ よろしく お願いします。

⑤ 論文は もう 書けましたか。……今 一生懸命 書いて いる ところです。
  <u>論文</u>⑨　　　　　　　　　　　　<u>一生</u>⑩^{けんめい}懸命

⑥ この 机は 丈夫そうですね。どのくらい 使って いるんですか。
  　　<u>机</u>⑪^{じょう}は <u>丈夫</u>⑫そう

  ……30年ぐらいです。まだ 使えそうです。

⑦ 大学の 友達と 先生の お宅へ 伺いました。奥様も いらっしゃって、楽しい
  　　　　　　　　　　　　お<u>宅</u>⑬^{うかが}へ 伺　　　<u>奥様</u>⑭

  時間を 過ごしました。
  　　　<u>過</u>⑮ごしました

⑧ サッカーの 大会に 出る 人が 発表されました。今度の チームは きっと
  　　　　　　　　　　　　　<u>発表</u>⑯

  優勝できると 思います。
  <u>優勝</u>⑰

⑨ えっ、電気を つけて 寝るんですか。……ええ、ちょっと 怖いんです。
  　　　　　　　　　<u>寝</u>⑱るん　　　　　　　　　^{こわ}怖い

⑩ 私の かばんは 外側に ポケットが 付いて いないので、不便です。
  　　　　　　^{がわ}外側に　　　　　<u>付</u>⑲いて

⑪ ご主人の お仕事は？……夫は 銀行に 勤めて おります。
  <u>ご主人</u>⑳の　　　　　　　<u>夫</u>㉑は <u>銀行</u>㉒に <u>勤</u>㉓めて

⑫ あ、ワンさん、さっき 宅配便の 人が 来ましたが、お留守だったので、あとで
  　　　　　　　　　　<u>宅配便</u>㉔　　　　　　　　お<u>留守</u>㉕

  もう 一度 来るそうです。……そうですか。ありがとう ございます。

⑬ 自分の 誕生日や 住所や 電話番号は 暗証番号に 使わない ほうが いいです。
  　　　^{たん}誕<u>生日</u>㉖や <u>住所</u>㉗や <u>電話番号</u>㉘は <u>暗</u>㉙^{しょう}証番号

⑭ 台風が 来て いるので、九州へ 行く 飛行機は 飛ぶか どうか、
  <u>台風</u>㉚　　　　　　　^{きゅうしゅう}九州へ　　 <u>飛行機</u>㉛は <u>飛</u>㉜ぶか

  わからないそうです。

⑮ この 例文は 全部 覚えて ください。
  　　<u>例文</u>㉝は <u>全部</u>㉞ <u>覚</u>㉟えて

⑯ 初めて 温泉〈せん〉に 行きました。気持ちが よかったので、何回も 入りました。
　　　　　　36　37

⑰ この ケーキ、おいしそうですね。

　　……ここへ 来る 途中で 買って 来たんです。どうぞ 召〈め〉し上がって ください。
　　　　　　　　　38

⑱ アメリカで 野球を するのが 夢だったそうですね。
　　　　　　　39　　　　　　　40

　　……ええ、夢が かなって、ほんとうに うれしいです。

⑲ 妻は 優しいです。疲れた とき、温かい お茶を いれて くれます。
　　41　42　　　　43　　　　44

⑳ 結婚相手を 両親に 紹介しました。
　　　　　45　　　　　46

㉑ 本社に 転勤、おめでとう ございます。……ありがとう ございます。今まで
　　　　　47

　　ほんとうに いろいろ お世話に なりました。心から 感謝〈しゃ〉して おります。
　　　　　　　　　　　48　　　　　49　50

㉒ やかんの お湯で やけどを して しまいました。
　　　　　　51

㉓ あなたの 国の 習慣と 日本〈にほん〉の 習慣と どんな ことが 違いますか。
　　　　　　52　　　　　　　　　　　　　　　　　53

㉔ この 仕事は 男性しか できないんですか。
　　　　　　54

　　……いいえ、経験が あれば、女性でも できます。
　　　　　55　　　　　56

㉕ 何が 燃えて いるんですか。変な においが しますね。
　　　57　　　　　　58

㉖ エアメールなら、来週 着きますが、船便なら、1か月 かかります。
　　　　　　　　59　　　　60

Ⅱ   1×40

① 姉は 花を そだてるのが 好きです。
　　　　　1

② インターネットで とまる ホテルを きめました。
　　　　　　　　2　　　　　　3

③ どう したんですか。……おさけを 飲みすぎて、気分が わるいんです。
　　　　　　　　　　4　　　　　　　　5

④ にわで あそんで いましたが、つよい 風が ふいたので、家に 入りました。
　　6　　7　　　　　　8　　　9

⑤ 新聞に よると、この ほうりつに さんせいの 人は とても 多いそうです。
　　　　　　　　　　10　　　11

⑥ さいきん こめや 野菜の ねだんが 上がって いますね。
　　12　　13　　　　14

　　……ええ、今年の 夏は 天気が よくなかったですからね。

⑦ すてきな 指輪〈ゆびわ〉ですね。……これですか。こいびとに もらったんです。
　　　　　　　　　　　　　　　　　　15

152

⑧ <u>じこ</u>の <u>げんいん</u>は わかりましたか。
　₁₆　　₁₇

……今 <u>しら</u>べて いる ところです。もう 少し <u>おまち</u> ください。
　　₁₈　　　　　　　　　　　　　　　₁₉

⑨ 彼は 子どもたちの <u>きょういく</u>の ために、ボランティアを して いるそうです。
　　　　　　　　₂₀

⑩ この <u>ふね</u>は シャンハイの <u>みなと</u>に 行くそうです。
　　　₂₁　　　　　　　₂₂

⑪ 大阪^{おおさか}<u>してん</u>の <u>しょるい</u>は これです。<u>かのじょ</u>が 来たら、<u>わたし</u>て ください。
　　　₂₃　　₂₄　　　　　　　₂₅　　　　　　₂₆

⑫ この<u>あいだ</u> 大学の 試験を <u>うけ</u>ました。たぶん <u>ごうかく</u>できると 思います。
　　₂₇　　　　　　　₂₈　　　　　　₂₉

……よかったですね。

⑬ 財布^{さいふ}を <u>おと</u>して しまったんですが。
　　　　₃₀

……すぐ <u>こうばん</u>へ 行った ほうが いいですよ。
　　　　₃₁

⑭ <u>ふく</u>を <u>えらぶ</u> とき、まず <u>いろ</u>を 見ますか、デザインを 見ますか。
　₃₂　　₃₃　　　　　　₃₄

……そうですね。私は どちらも 見ますね。

⑮ 馬^{うま}は <u>うつく</u>しいし、それに <u>やくにたつ</u> <u>どうぶつ</u>です。
　　　₃₅　　　　　　　₃₆　　₃₇

⑯ 来週は <u>よてい</u>が 多くて、忙しく なりそうです。
　　　₃₈

⑰ もしもし、すしを <u>とどけ</u>て いただきたいんですが。
　　　　　　　₃₉

……ありがとう ございます。お名前と ご住所を お願いします。

⑱ 新しい <u>せいひん</u>は 人気が あって、とても よく 売れて いるそうです。
　　　₄₀

復
4

ステップ2 名前＿＿＿＿＿＿／100

I 1×60

1	2	3	4
5	6	7	8
9	10	11	12
13	14	15	16
17	18	19	20
21	22	23	24
25	26	27	28
29	30	31	32
33	34	35	36
37	38	39	40
41	42	43	44
45	46	47	48
49	50	51	52
53	54	55	56
57	58	59	60

復
4

1	2	3	4
5	6	7	8
9	10	11	12
13	14	15	16
17	18	19	20
21	22	23	24
25	26	27	28
29	30	31	32
33	34	35	36 に
37	38	39	40

I　　　　　　　　　　　　　　　　　　　　　　　　　　　　　　2×25

① <u>公園</u>へ 花見に 行きませんか。
　　1

② あの 方は どう したら、いい <u>紙</u>の <u>服</u>が できるか、<u>研究</u>して いるそうです。
　　　　　　　　　　　　　　　2　　3　　　　　　　　4

③ <u>日曜日</u>は たいてい 9時ごろ <u>起</u>きます。
　　5　　　　　　　　　　　　6

④ この マークは どういう <u>意味</u>ですか。……水で <u>洗</u>えると いう 意味です。
　　　　　　　　　　　　7　　　　　　　　　　8

⑤ <u>天気</u>予報に よると、きょうは <u>夕方</u>まで <u>雨</u>が 降るそうですね。
　　9　よほう　　　　　　　　10　　　11

　　……ええ、でも、少し 雨が <u>弱</u>く なりましたよ。もうすぐ やみそうですね。
　　　　　　　　　　　12

⑥ 兄は <u>南</u>の <u>島</u>で <u>結婚式</u>を しました。
　　　13　しま　14

⑦ <u>近所</u>の 人に もらった 花を <u>玄関</u>や <u>台所</u>に 飾りました。
　　15　　　　　　　　　げんかん　16 かざ

⑧ この ドアに 書いて ある「引」と「押」は どういう 意味ですか。

　　……「<u>引</u>いて ください」と「<u>押</u>して ください」と いう 意味です。
　　　　17　　　　　　　　　　18

⑨ <u>説明</u>は <u>以上</u>です。何か <u>質問</u>は ありませんか。
　　19　　20　　　　　　21

⑩ いつも うちで 食べて いる <u>お米</u>は <u>北海道</u>産です。
　　　　　　　　　　　　　22　　23 ほっかいどう

⑪ <u>交番</u>で 道を 聞きました。
　　24

⑫ 人が <u>大勢</u> <u>集</u>まって いますね。……有名な 歌手が 来るそうですよ。
　　　ぜい　25

1	2	3	4
5	6	7	8
9	10	11	12
13	14	15	16
17	18	19	20
21	22	23	24
25			

Ⅱ

2×25

① この クラスで だれが いちばん はしるのが はやいですか。
　　　　　　　　　　　　　　　 ‾1‾　　　　 ‾2‾

　　……テレーザちゃんです。

② この いけの かたちは おもしろいね。
　　　 ‾3‾　 ‾4‾

　　……そうだね。あ、魚が およいで いるよ。
　　　　　　　　　　　　　 ‾5‾

③ かぜが 強いですね。窓を しめましょう。
　 ‾6‾　　　　　　 まど　 ‾7‾

④ すみません、この バスは とうきょうえきの 前を とおりますか。
　　　　　　　　　　　　　 ‾‾‾8‾‾‾　　　　 ‾9‾

　　……これは とおらないので、つぎに 来る バスに のって ください。
　　　　　　　　　　　　　　 ‾10‾　　　　　　 ‾11‾

⑤ 日本は 今 ふゆで、さむいですが、オーストラリアは 今 なつで、あついです。
　 にほん　 ‾12‾　 ‾13‾　　　　　　　　　　　　　　 ‾14‾　 ‾15‾

⑥ 彼は ずいぶん いそいで 帰りましたね。
　 かれ　　　　 ‾16‾

　　……ええ、恋人が まって いるそうですよ。
　　　　　 こいびと ‾17‾

⑦ きょねん 韓国へ 行った とき、金さんが あんないして くれた むらに もう 一度
　 ‾18‾　 かんこく　　　　 キム　　 ‾19‾　　　　 ‾20‾

　行って みたいです。

⑧ 車の うんてんが すきです。
　　　 ‾21‾　 ‾22‾

⑨ さんぽに 行かない?……私は とりに えさを やってから、行くから、さきに
　 ‾23‾　　　　　　　　 ‾24‾　　　　　　　　　　　　　　 ‾25‾

　行って。

1	2	3	4
5	6	7	8
9	10	11	12
13	14	15	16
17	18	19	20
21	22	23	24
25			

158

I　　　　　　　　　　　　　　　　　　　　　　　　　　　　　　　　1×60

① 日本(にほん)の 車の 技術(1)は すばらしいですね。私の 国でも 日本から 輸入(2)された 車は
人気が あります。

② 辞書(3)の 簡単(4)な 例文(5)を 覚(6)えて います。

③ 旅館(7)に 着いたら、まず 非常口(8)を 確(9)かめましょう。火事や 地震(しん)(10)の 場合(11)は、そこから
逃(12)げて ください。

④ すみません、美術館(13)は どこですか。

　……あの 信号(14)を 渡(15)って、2つ目の 角(16)を 左へ 曲(17)がると、右に あります。

⑤ 子どもが 寝(18)た ばかりなので、静(19)かに して いただけませんか。

⑥ この 本を コピーするのに 許可(20)が 必要(21)ですか。

　……いいえ、そこに 名前を 書いて、コピー代(22)を 払(23)えば、だれでも 自由(24)に
　　コピーできます。

⑦ 世界で 初(25)めて 宇宙(うちゅう)へ 行って、「地球(26)は 青かった。」と 言った 人は
だれか、知って いますか。

⑧ 外国から いらっしゃった お客様(27)が あした 私たちの 学校の 授業(28)を
見学されるそうです。

⑨ のどが かわきましたね。

　……そうですね。あの 自動販売機(29)で 何か 買いましょう。

⑩ 今夜(30)は 星(31)が きれいですから、あしたは きっと 晴(32)れるでしょう。

⑪ 卒業式(33)の スピーチを 頼(34)まれました。上手に できるように、頑張(がんば)る つもりです。

⑫ この 事務所(35)は 涼(36)しいですね。……ええ、さっき 冷房(ぼう)(37)を つけたんです。

⑬ 船便(38)は 時間は かかりますが、安いです。

⑭ 来週 会社の パーティーが あります。皆さん、ぜひ 出席して ください。
　　　　　　　　　　　　　　　　　　 $\underset{39}{皆}$さん　　　 $\underset{40}{出席}$

⑮ 大丈夫ですか。気分が 悪そうですね。
　 $\underset{41}{大丈夫}$ (じょう)

　　……ええ。悪い 物を 食べたようです。

⑯ 祖父は 熱い おふろに 入るのが 好きです。
　 $\underset{42}{祖父}$　 $\underset{43}{熱}$い

⑰ 将来 世界の 平和の ために、働きたいと 思って います。
　 $\underset{44}{将来}$　　　 $\underset{45}{平和}$　　　　 $\underset{46}{働}$

⑱ 課長、タクシーを お呼びしました。お荷物も 支店に 届けて おきました。
　 (か)　　　　　　　　 $\underset{47}{呼}$　　　　　 $\underset{48}{荷物}$も　 $\underset{49}{支店}$に　 $\underset{50}{届}$けて

　　……ありがとう。

⑲ 週末 何も 予定が なかったので、友達と お酒を 飲みました。
　 $\underset{51}{週末}$　　　 $\underset{52}{予定}$が　　　　　　　　　　 $\underset{53}{酒}$

⑳ 歯が 痛く なったので、歯医者へ 行きました。今は もう よく なりました。
　 $\underset{54}{歯}$が $\underset{55}{痛}$く

㉑ 電気の スイッチは どこですか。……ドアの 横に ありますよ。
　　　　　　　　　　　　　　　　　　　　　　　 $\underset{56}{横}$に

㉒ 調子は いかがですか。
　 $\underset{57}{調子}$は

　　……ありがとう ございます。もうすぐ 退院できそうです。
　　　　　　　　　　　　　　　　　　 $\underset{58}{退院}$

㉓ この 箱、どこに 置いたら いいですか。……あの 机の 上に 置いて ください。
　　　　 (はこ)　　　 $\underset{59}{置}$いたら　　　　　　　　 $\underset{60}{机}$の

Ⅱ　　　　　　　　　　　　　　　　　　　　　　　　　　　　1×40

① どう すれば、しあわせに なれると 思いますか。
　　　　　　　 $\underset{1}{しあわせ}$に

　　……ゆめが あれば、ぜったいに しあわせに なれると 思います。
　　　 $\underset{2}{ゆめ}$　　　　 $\underset{3}{ぜったい}$に

② アルバイト、見つかったんですか。

　　……ええ、先月から さがして いたんですが、友達が しょうかいして くれました。
　　　　　　　　　 $\underset{4}{さが}$　　　　　　　　　　　 $\underset{5}{しょうかい}$

③ 子どもの ころ いつも 母に やくそくを まもれと 言われました。
　　　　　　　　　　　　　　　 $\underset{6}{やくそく}$を $\underset{7}{まも}$れ

④ 日本へ 来る 外国人が ほんとうに ふえましたね。
　　　　　　　　　　　　　　　 $\underset{8}{ふ}$え

　　……そうですね。去年の 2ばいぐらいに なったそうです。
　　　　　　　　　　 $\underset{9}{2ばい}$

⑤ この 牛乳、ちょっと へんな においが しますね。
　　 (にゅう)　　　 $\underset{10}{へん}$な

　　……古そうだから、飲まない ほうが いいですよ。

160

⑥ きのうの テストは むずかしすぎて、ぜんぜん できませんでした。これからは
　　　　　　　　　　　　　─── 　　　　　　─────
　　　　　　　　　　　　　　11　　　　　　　　　　12
　　毎日 ふくしゅうを するように します。テストの まえに、あそびに
　　　　　─────　　　　　　　　　　　　　　　　　　　　　─────
　　　　　　13　　　　　　　　　　　　　　　　　　　　　　　　14
　　　　　　　　　　　　　　　　　　　がん ば
　　行かないように します。……頑張って！

⑦ 道が こんで いて、会社に おくれて しまいました。
　　　　─────　　　　　　　─────
　　　　　15　　　　　　　　　　16

⑧ つまと そうだんしながら 子どもを そだてる つもりです。
　　──　────────　　　　　　　─────
　　17　　　18　　　　　　　　　　　　　19

⑨ あ、いけない！中村さんに れんらくするのを わすれました。今から すぐ します。
　　　　　　　なかむら　　─────────　　─────
　　　　　　　　　　　　　　　20　　　　　　　　21

⑩ きのうの しあい、まけて しまいましたね。
　　　　　─────　────
　　　　　　22　　　23
　　……ええ、ざんねんです。かてると 思って いたのに…。
　　　　　　─────　　　──
　　　　　　　24　　　　　　25

⑪ 今月は いそがしいので、長い 休みを とるのは むりかも しれませんが、来月は
　　　　　─────　　　　　　　　　　　──　　　　──
　　　　　　26　　　　　　　　　　　　　　27　　　　28
　　とれると 思います。

⑫ この 道は ずいぶん せまいね。広い 道に もどろう。
　　　　　　　　　　　─── 　　　　　　　────
　　　　　　　　　　　29　　　　　　　　　30

⑬ コンピューターが こ障して しまったんです。早く なおさないと…。
　　　　　　　　　　─── 　　　　　　　　　　　────
　　　　　　　　　　しょう
　　　　　　　　　　31　　　　　　　　　　　　32
　　……げんいんは わかりましたか。
　　　────
　　　　33

⑭ 日本の せいじや けいざいに ついて わかりやすく 書いて ある 本は
　　　　　─── 　────
　　　　　34　　　35
　　ありませんか。

⑮ 今度の 旅行の もくてきは 何ですか。
　　　　　　　　─────
　　　　　　　　　36

⑯ さいきん 野菜の ねだんが 上がりました。
　　───── 　　　───
　　　37　　　　　　38

⑰ すみません、あの きいろの 花を 8本 おねがいします。
　　　　　　　　　──── 　　　　　　　──
　　　　　　　　　39　　　　　　　　40

I 1×60

1	2	3	4
5	6	7	8
9	10	11	12
13	14	15	16
17	18	19	20
21	22	23	24
25	26	27	28
29	30	31	32
33	34	35	36
37	38	39	40
41 　じょう　丈	42	43	44
45	46	47	48
49	50	51	52
53	54	55	56
57	58	59	60

まとめ

1	2	3	4
5	6	7	8
9	10	11	12
13	14	15	16
17	18	19	20
21	22	23	24
25	26	27	28
29	30	31	32
33	34	35	36
37	38	39	40

凡例

1. 本書および『初級Ⅰ　第2版　漢字練習帳』に収録した漢字を音読み（訓読みしかない漢字は訓読み）の五十音順に並べてある。
2. 各漢字には『日本語能力試験出題基準［改訂版］』の級、新出課、読み、ページが提示されている。
   なお、『初級Ⅰ　第2版　漢字練習帳』で提出ずみの漢字についてはⅠと表示した。

		『日本語能力試験出題基準［改訂版］』の級			
音読み		↓ 新出課	読み	ページ	
アク	悪	3　26	わる	1	

3. 読みについては新出課の順に提出順に並べてある。
4. 音読みはカタカナで、訓読みはひらがなで表記した。熟字訓については読みの後に［　　　］で漢字を表示してある。

166

167

168

170

171

175

著者

東京国際日本語学院

〒160-0022 東京都新宿区新宿 2-13-6 電話 03（3350）9761

http://www.tijs.jp E-mail：info@tijs.jp

監修

綾部眞弓 東京国際日本語学院 教務主任

執筆

室岡由美 東京国際日本語学院 教師

金瀬眞知子 東京国際日本語学院 教師

山田純子 東京国際日本語学院 教師

編集協力

鈴木朋子 東京国際日本語学院 教務副主任

表紙イラスト

さとう恭子

装丁デザイン

山田武

みんなの日本語　初級II　第2版
漢字練習帳

2004 年 9 月 7 日 初版第 1 刷発行
2014 年 7 月 25日 第 2 版第 1 刷発行
2019 年 11 月 6 日 第 2 版第 8 刷発行

著　者　　東京国際日本語学院
発行者　　藤嵜政子
発　行　　株式会社スリーエーネットワーク
　　　　　〒 102-0083　東京都千代田区麹町3丁目4番
　　　　　　　　　　　トラスティ麹町ビル2F
　　　　　電話　営業　03（5275）2722
　　　　　　　　編集　03（5275）2725
　　　　　https://www.3anet.co.jp/
印　刷　　倉敷印刷株式会社

ISBN978-4-88319-693-7 C0081

みんなの日本語シリーズ

みんなの日本語 初級I 第2版

● 本冊(CD付) ················· 2,500円+税
● 本冊 ローマ字版(CD付) ····· 2,500円+税
● 翻訳・文法解説 ············ 各2,000円+税
　英語版／ローマ字版【英語】／中国語版／
　韓国語版／ドイツ語版／スペイン語版／ポ
　ルトガル語版／ベトナム語版／イタリア語
　版／フランス語版／ロシア語版(新版)／タ
　イ語版／インドネシア語版／ビルマ語版
電● 教え方の手引き ··········· 2,800円+税
● 初級で読めるトピック25 ···· 1,400円+税
● 聴解タスク25 ·············· 2,000円+税
● 標準問題集 ················· 900円+税
● 漢字 英語版 ··············· 1,800円+税
● 漢字 ベトナム語版 ········· 1,800円+税
● 漢字練習帳 ················· 900円+税
● 書いて覚える文型練習帳 ····· 1,300円+税
● 導入・練習イラスト集 ········ 2,200円+税
● CD 5枚セット ·············· 8,000円+税
● 会話DVD ·················· 8,000円+税
● 会話DVD　PAL方式 ······· 8,000円+税
● 絵教材CD-ROMブック ······ 3,000円+税

みんなの日本語 初級II 第2版

● 本冊(CD付) ················· 2,500円+税
● 翻訳・文法解説 ············ 各2,000円+税
　英語版／中国語版／韓国語版／ドイツ語
　版／スペイン語版／ポルトガル語版／ベ
　トナム語版／イタリア語版／フランス語
　版／ロシア語版(新版)／タイ語版／イン
　ドネシア語版

電● 教え方の手引き ··········· 2,800円+税
● 初級で読めるトピック25 ···· 1,400円+税
● 聴解タスク25 ·············· 2,400円+税
● 標準問題集 ················· 900円+税
● 漢字 英語版 ··············· 1,800円+税
● 漢字練習帳 ················· 1,200円+税
● 書いて覚える文型練習帳 ····· 1,300円+税
● 導入・練習イラスト集 ········ 2,400円+税
● CD 5枚セット ·············· 8,000円+税
● 会話DVD ·················· 8,000円+税
● 会話DVD　PAL方式 ······· 8,000円+税
● 絵教材CD-ROMブック ······ 3,000円+税

みんなの日本語 初級 第2版

● やさしい作文 ··············· 1,200円+税

みんなの日本語 中級I

● 本冊(CD付) ················· 2,800円+税
● 翻訳・文法解説 ············ 各1,600円+税
　英語版／中国語版／韓国語版／ドイツ語
　版／スペイン語版／ポルトガル語版／フ
　ランス語版／ベトナム語版
● 教え方の手引き ············· 2,500円+税
● 標準問題集 ················· 900円+税
● くり返して覚える単語帳 ········ 900円+税

みんなの日本語 中級II

● 本冊(CD付) ················· 2,800円+税
● 翻訳・文法解説 ············ 各1,800円+税
　英語版／中国語版／韓国語版／ドイツ語
　版／スペイン語版／ポルトガル語版／フ
　ランス語版／ベトナム語版
● 教え方の手引き ············· 2,500円+税
● 標準問題集 ················· 900円+税
● くり返して覚える単語帳 ········ 900円+税

電● 小説 ミラーさん
　　―みんなの日本語初級シリーズ―
　　····························· 1,000円+税

電 電子書籍も販売しています。

スリーエーネットワーク

ウェブサイトで新刊や日本語セミナーをご案内しております。
https://www.3anet.co.jp/

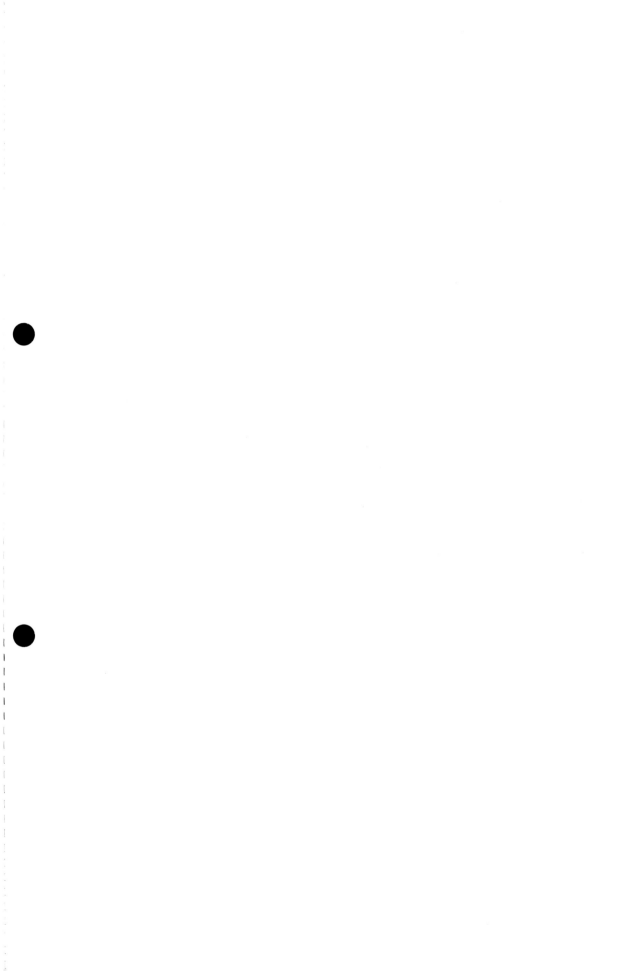

みんなの日本語 初級 II 第2版
かんじ れんしゅうちょう
漢字練習帳

かいとう
―解答―

東京国際日本語学院　著

スリーエーネットワーク

解答

（かい　とう）

26課

漢字シート

ステップ1　1.悪：わる　2.急：いそ　きゅうこう　3.去：きょねん　4.紙：かみ
てがみ　5.県：けん　6.都：と　7.合：ま　あ　つごう　しあい　8.速：はや　9.直：
なお

ステップ2　10.接：ちょくせつ　11.湯：ゆ　12.探：さが　13.平：へいじつ　14.寺：
てら　じ　15.勝：か　16.負：ま　17.願：ねが　18.座：すわ　19.眠：ねむ　20.狭：せま
21.甘：あま　22.辛：から　23.卵：たまご　24.拾：ひろ

読み練習・書き練習

ステップ1

①去年（きょねん）夏休（なつやす）②急行（きゅうこう）間（ま）に　合（あ）急（いそ）
③今晩（こんばん）都合（つごう）悪（わる）④紙（かみ）欲（ほ）⑤試合（しあい）天気（て
んき）⑥都（と）県（けん）間（あいだ）⑦図書館（としょかん）電車（でんしゃ）速（はや）
⑧手紙（てがみ）⑨電気屋（でんきや）持（も）直（なお）⑩国会議事堂（こっかいぎじどう）
降（お）

ステップ2

①写真（しゃしん）寺（じ）②試合（しあい）負（ま）③前（まえ）座（すわ）知（し）④寺（て
ら）見学（けんがく）直接（ちょくせつ）平日（へいじつ）⑤辛（から）⑥今（いま）家（いえ）
狭（せま）⑦勝（か）⑧湯（ゆ）出（で）会社（がいしゃ）願（ねが）⑨習（なら）探（さが）
⑩買い物（かいもの）卵（たまご）安（やす）⑪眠（ねむ）⑫甘（あま）⑬妹（いもうと）拾
（ひろ）

27・28課

漢字シート

ステップ1　1.業：ぎょう　2.鳥：とり　3.通：かよ　つう　4.味：あじ　いみ
5.運：うんどうかい　6.転：うんてん　7.力：ちから　8.色：いろ　9.具：かぐ

ステップ2　10.取：と　11.荷：にもつ　13.単：かんたん　14.覚：おぼ　15.販：じどう
はんばい　16.忙：いそが　17.給：きゅうりょう　18.実：じつ　19.涼：すず
20.将：しょうらい　21.夢：ゆめ　22.疲：つか　23.痛：いた　24.彼：かれ　かのじょ

読み練習・書き練習

ステップ1

①海（うみ）色（いろ）鳥（とり）②力（ちから）強（つよ）③運転（うんてん）④自転車（じ

てんしゃ）通（かよ）歩（ある）⑤家具（かぐ）通（つう）⑥味（あじ）作（つく）近（きん）道具（どうぐ）方（かた）教（おし）⑦業（ぎょう）店（みせ）体（からだ）子（し）⑧意味（いみ）⑨歌（うた）歌手（かしゅ）⑩花火（はなび）⑪品物（しなもの）⑫開（ひら）

ステップ2
①簡単（かんたん）漢字（かんじ）覚（おぼ）②彼（かれ）③給料（きゅうりょう）④電気屋（でんきや）前（まえ）自動販売（じどうはんばい）⑤外国旅行（がいこくりょこう）実（じつ）天気（てんき）悪（わる）⑥夢（ゆめ）林（はやし）中（なか）建（た）⑦荷物（にもつ）着（つ）彼女（かのじょ）⑧出（しゅっ）疲（つか）⑨朝（あさ）痛（いた）⑩夏（なつ）涼（すず）⑪忙（いそが）⑫将来（しょうらい）動物（どうぶつ）

29・30課

漢字シート

ステップ1 1.地：ちず 2.走：はし 3.集：あつ 5.究：けんきゅう 6.曜：すいようび 7.重：おも 8.池：いけ でんち 9.形：かたち けい にんぎょう

ステップ2 10.横：よこ 11.橋：はし 12.決：き 14.常：ひじょうじ 15.忘：わす 16.置：お 17.授：じゅぎょう 19.術：ぎじゅつ 20.資：しりょう 21.類：しょるい 22.復：ふくしゅう 23.植：う 24.机：つくえ

読み練習・書き練習

ステップ1
①切手（きって）集（あつ）形（かたち）②地下（ちか）外（そと）③池（いけ）花見（はなみ）④登（のぼ）地図（ちず）⑤重（おも）入（はい）母（はは）料理（りょうり）道具（どうぐ）⑥女（おんな）人形（にんぎょう）⑦火曜日（かようび）今度（こんど）研究（けんきゅう）⑧左（ひだり）痛（いた）走（はし）理（り）⑨形（けい）⑩新（あたら）電池（でんち）

ステップ2
①出（しゅっ）決（き）②授業（じゅぎょう）習（なら）漢字（かんじ）復習（ふくしゅう）③机（つくえ）技術（ぎじゅつ）品（ひん）④非常（ひじょう）⑤会議（かいぎ）資料（しりょう）忘（わす）⑥真ん中（まんなか）花（か）置（お）⑦書類（しょるい）元（もと）⑧降（お）忘れ物（わすれもの）⑨門（もん）横（よこ）置き場（おきば）⑩植（う）⑪橋（はし）右（みぎ）

31・32課

漢字シート

ステップ1 1.東：ひがし とう 2.西：にし 3.南：みなみ 4.北：きた ほっかいどう 5.市：し 6.風：かぜ 7.夕：ゆうがた 8.空：そら くう 9.区：く

ステップ2 10.晴：は 11.星：ほし 12.熱：ねつ あつ ねっしん 13.約：よやく 14.束：やくそく 15.辞：じしょ 16.練：れんしゅう 17.返：かえ 18.最：さいきん 19.続：つづ 20.角：かど 21.込：こ 22.申：もう こ 23.格：ごうかく 24.予：よ

読み練習・書き練習
ステップ1
①東（ひがし）空（そら）西（にし）明（あか）夕方（ゆうがた）雨（あめ）②北（きた）旅行（りょこう）③南（みなみ）天気（てんき）悪（わる）午後（ごご）風（かぜ）④空（くう）東（とう）駅（えき）⑤市（し）取（と）⑥休（きゅう）北海道（ほっかいどう）⑦通（かよ）区（く）

ステップ2
①熱（ねつ）続（つづ）病院（びょういん）②最近（さいきん）入学試験（にゅうがくしけん）合格（ごうかく）③角（かど）館（かん）④大学院（だいがくいん）研究（けんきゅう）続（つづ）⑤来月（らいげつ）旅行（りょこう）申し込（もうしこ）⑥電車（でんしゃ）込（こ）座（すわ）⑦日曜日（にちようび）海（うみ）予（よ）⑧練習（れんしゅう）業（ぎょう）⑨空（そら）晴（は）今夜（こんや）星（ほし）⑩予約（よやく）⑪教室（きょうしつ）熱心（ねっしん）人気（にんき）⑫熱（あつ）⑬約束（やくそく）間に合（まにあ）⑭辞書（じしょ）⑮貸（か）親切（しんせつ）借（か）返（かえ）

ふくしゅう
復習テスト1　26〜32課

ステップ1
Ⅰ　1けん　2かよ　3きょねん　4とう　5と　6ちず　7うんてん　8はや　9きゅうこう　10はし　11まにあ　12しなもの　13ぎょう　14てがみ　15つう　16いそ　17ちょうし　18わる　19く　20はなび　21つごう　22かしゅ　23ひがし　24もん　25ちか
Ⅱ　1色　2形　3重　4空　5夕方　6南　7風　8北　9力　10人形　11集　12池　13鳥　14月曜日　15市　16家具　17空　18西　19新　20研究　21味　22漢字　23意味　24教　25直

ステップ2
Ⅰ　1ねっしん　2ふくしゅう　3じゅぎょう　4なら　5おぼ　6つか　7ねむ　8あつ　9ゆ　10すわ　11かた　12ちゃ　13ねが　14にゅうがくしけん　15ごうかく　16はい　17か　18しあい　19ま　20れんしゅう　21ゆめ　22あま　23しょうらい　24も　25かいぎ　26よ　27ぎじゅつ　28き　29こんや　30ほし　31なん　32かんたん　33たまごりょうり　34じどうはんばい　35すず　36か　37ひじょう　38そと　39てんき　40ねつ　41がいしゃ　42きゅうりょう　43しょるい　44ほんしゃ　45おく　46きゅう　47は　48じつ　49ほっかいどう　50りょこう　51にもつ　52よこ　53かれ　54えいが　55やくそく　56じしょ　57か　58わす　59かのじょ　60さが
Ⅱ　1最近　2忙　3続　4平日　5取　6部長　7出　8机　9置　10着　11去年　12建　13家　14植　15狭　16春　17橋　18目　19角　20左　21有名　22寺　23痛　24辛　25申し込　26直接　27電池　28真　29出　30資料　31借　32元　33人形　34駅　35寺　36一度　37妹　38込　39返　40拾

漢字シート

ステップ1　1.薬：くすり　2.服：ふく　3.質：しつもん　4.光：ひかり　ひか
5.閉：し　し　6.番：いちばん　7.号：ばんごう　8.交：こうつう　9.危：あぶ　き
ステップ2　10.席：しゅっせき　11.戻：もど　12.払：はら　13.無：むり　14.失：しっ
15.礼：しつれい　16.黄：きいろ　17.苦：にが　18.末：しゅうまつ　19.逃：に　21.則：
きそく　22.守：まも　23.歯：は　24.並：なら

読み練習・書き練習

ステップ1

①東（とう）交通（こうつう）速（はや）②開（あ）番号（ばんごう）③入口（いりぐち）出口
（でぐち）④光（ひか）⑤閉（し）⑥使用中（しようちゅう）漢字（かんじ）意味（いみ）使
（つか）⑦薬（くすり）⑧明（めい）⑨重（おも）危（あぶ）⑩先（さき）入（い）⑪質問（しつ
もん）終（お）⑫危（き）入（はい）⑬光（ひかり）音（おと）速（はや）⑭服（ふく）⑮集中
（しゅうちゅう）

ステップ2

①失礼（しつれい）願（ねが）②無料（むりょう）払（はら）③出席（しゅっせき）都合（つご
う）悪（わる）④会議（かいぎ）本社（ほんしゃ）戻（もど）⑤足（た）並（なら）⑥去年（きょ
ねん）試験（しけん）失（しっ）⑦立入（たちいり）止（し）⑧練習（れんしゅう）終（お）元
（もと）戻（もど）⑨歯（は）痛（いた）黄色（きいろ）薬（くすり）苦（にが）⑩規則（きそ
く）守（まも）⑪危（あぶ）逃（に）⑫週末（しゅうまつ）出（で）

漢字シート

ステップ1　1.同：おな　2.治：なお　3.所：ところ　じゅうしょ　きんじょ　どころ
4.暑：あつ　5.寒：さむ　6.便：びん　ふべん　7.利：べんり　8.泳：およ　すい
えい　9.活：せいかつ
ステップ2　10.向：む　11.困：こま　12.丸：まる　13.機：こうき　14.曲：きょく　ま
15.皆：みな　16.違：ちが　17.務：じむしょ　18.客：きゃく　19.島：しま　20.信：し
んごう　21.遅：おく　おそ　23.可：きょか　24.禁：しようきんし

読み練習・書き練習

ステップ1

①病気（びょうき）治（なお）②町（まち）生活（せいかつ）冬（ふゆ）寒（さむ）物（ぶっ）
③特（とく）水泳教室（すいえいきょうしつ）通（かよ）④駅（えき）道（みち）所（ところ）
⑤住所（じゅうしょ）近所（きんじょ）便（びん）持（も）⑥暑（あつ）日曜日（にちようび）
海（うみ）泳（およ）⑦便利（べんり）⑧意見（いけん）正（ただ）⑨毎月（まいつき）⑩同（お

な) 時間(じかん) 食事(しょくじ) 体(からだ) ⑪所(どころ) 広(ひろ) 料理(りょうり) 作(つく) ⑫入力(にゅうりょく)

ステップ2

①曲(きょく) 有名(ゆうめい) 皆(みな) 歌(うた) ②客(きゃく) ③島(しま) 着(つ) 向(む) ④許可(きょか) ⑤年(とし) 取(と) 困(こま) ⑥遅(おく) 禁止形(きんしけい) ⑦危(あぶ) 夜(よる) 遅(おそ) 歩(ある) ⑧姉(ねえ) 違(ちが) 色(いろ) ⑨行機(こうき) ⑩信号(しんごう) 曲(ま) 事務所(じむしょ) ⑪答(こた) 黒(くろ) 丸(まる)

37・38課

漢字シート

ステップ1 1.発:はつめい はっけん 2.エ:こうじょう 3.飯:ばんごはん 4.台:だいどころ 5.題:もんだい 6.待:ま 7.米:こめ 8.村:むら 9.注:ちゅうい

ステップ2 10.港:みなと くうこう 11.宿:しゅくだい 12.捨:す 13.輸:ゆしゅつ 14.招:しょうたい 15.呼:よ 16.原:げんりょう 17.慣:しゅうかん な 18.頼:たの 19.成:せい 20.法:ほうほう 21.退:たいいん 23.加:さんか 24.岸:かいがん

読み練習・書き練習

ステップ1

①台所(だいどころ) 運(はこ) ②近所(きんじょ) 工場(こうじょう) ③米(こめ) 忘(わす) ④小学校(しょうがっこう) 通(かよ) 歩(ある) ⑤旅行(りょこう) 待(ま) 考(かんが) ⑥生(う) 近(ちか) 村(むら) ⑦昼ご飯(ひるごはん) ⑧発見(はっけん) ⑨発明(はつめい) 便利(べんり) ⑩電車(でんしゃ) 中(なか) 注意(ちゅうい)

ステップ2

①海岸(かいがん) 散歩(さんぽ) ②歌手(かしゅ) 無料(むりょう) 招待(しょうたい) ③宿題(しゅくだい) ④集(あつ) 弟(おとうと) 捨(す) ⑤世界中(せかいじゅう) 輸出(ゆしゅつ) ⑥屋上(おくじょう) 港(みなと) ⑦退院(たいいん) 子(し) ⑧呼(よ) 客(きゃく) ⑨上手(じょうず) 方法(ほうほう) ⑩紙(かみ) 原料(げんりょう) ⑪今度(こんど) 成(せい) ⑫生活(せいかつ) 習慣(しゅうかん) 違(ちが) 大(たい) 慣(な) ⑬参加(さんか) ⑭行機(こうき) 空港(くうこう) 着(つ) ⑮行(おこな) ⑯頼(たの) 忘(わす) ⑰世(せい)

復習テスト2 33〜38課

ステップ1

I 1じゅうしょ 2へや 3ばんごう 4むら 5こうつう 6ふべん 7せいかつ 8き 9およ 10ひかり 11あつ 12だいどころ 13も 14しょうがくせい 15すいえい 16なお 17ぶちょう 18ま 19さき 20ところ 21きんじょ 22べんり 23びん 24きって 25おな

Ⅱ 1飯 2薬 3質問 4明書 5漢字 6正 7間 8発見 9駅前 10危 11急 12注意 13寒 14入 15風 16閉 17発明 18工場 19問題 20復習 21服（ふく） 22土曜日 23米 24自転車 25運

ステップ2

Ⅰ 1しゅうまつ 2のぼ 3こうき 4くうこう 5かのじょ 6ちが 7はなし 8じょうず 9たちいりきんし 10きょか 11しゅっせき 12らいしゅう 13もうしこ 14しょうらい 15むずか 16びょうき 17なお 18おくじょう 19みなと 20む 21しま 22もど 23げんりょう 24がいこく 25ゆにゅう 26としょかん 27はし 28ひとつめ 29しんごう 30ま 31ひだり 32と 33かれ 34おと 35かいがん 36さんぽ 37しけん 38おく 39よ 40よこ 41お 42にもつ 43じむしょ 44きゃく 45みな 46きょく 47おそ 48おこな 49きょうしつ 50じどうしゃ 51せかいじゅう 52ゆしゅつ 53にんき 54しゅうかん 55な 56いもうと 57さんか 58おく 59じょうび 60しょうたい

Ⅱ 1用事 2頼 3疲 4交通 5規則 6守 7運転 8食堂 9逃 10非常口 11食事 12宿題 13眠 14全部 15授業 16赤 17丸 18家具 19捨 20苦 21歯 22痛 23黄色 24退院 25家族 26心配 27無理 28失礼 29失 30方法 31並 32写真 33払 34願 35英語 36旅行 37困 38覚 39開 40成

39・40課

漢字シート

ステップ1 1.代：でんわだい 2.死：し 3.首：しゅ 5.婚：けっこん 6.式：けっこんしき 7.全：ぜんぶ 8.次：つぎ にじかい 9.以：いか

ステップ2 10.必：かなら 11.要：ひつよう い 13.対：ぜったい 14.然：ぜんぜん 15.難：むずか 16.残：のこ ざんぎょう 17.念：ざんねん 19.雑：ふくざつ ざっ 20.汚：きたな よご 21.表：おもて よていひょう はっぴょう 22.倒：たお 23.故：こうつうじこ 24.確：たし かく

読み練習・書き練習

ステップ1

①九（きゅう） 一（いっ） 八（はっ） ②何本（なんぼん） 一本（いっぽん） 二本（にほん） 三本（さんぼん） 十本（じゅっぽん／じっぽん） ③首（しゅ） 予（よ） ④以上（いじょう） ⑤次（つぎ） ⑥結婚式（けっこんしき） ⑦全部（ぜんぶ） ⑧安心（あんしん） ⑨道（みち） 通（とお） ⑩死（し）

ステップ2

①難（むずか） 答（こた） ②大人（おとな） 払（はら） 無料（むりょう） ③服（ふく） 汚（よご） 全然（ぜんぜん） 屋（や） ④地（じ） 倒（たお） ⑤予（よ） 決（き） 表（ひょう） 確（たし） 返事（へんじ） ⑥表（おもて） ⑦台風（たいふう） 残念（ざんねん） ⑧事故（じこ） 遅（おく） 間に合（まにあ） ⑨残（のこ） ⑩複雑（ふくざつ） ⑪電気代（でんきだい） 必（かなら） 払（はら） ⑫号（ごう） 出発（しゅっぱつ） 着（ちゃく） 確（かく） ⑬申し込（もうしこ） 必要（ひつよう）

要(い) ⑭作(さ) 難(むずか) 危(き) 絶対(ぜったい) ⑮忘年会(ぼうねんかい) 会場(かいじょう) 駅前(えきまえ) ⑯汚(きたな) ⑰発表(はっぴょう) 練習(れんしゅう) ⑱転(てん) 子(す)

41・42課

漢字シート

ステップ1 1. 説：せつめい　せつめいかい　2. 進：しんがく　しんがくせつめいかい 3. 産：さん　みやげ　4. 園：どうぶつえん　5. 公：こうえん　7. 内：あんない　9. 油：せきゆ

ステップ2 10. 化：ぶんか　11. 和：わしつ　13. 康：けんこう　14. 暖：あたた　だん 16. 報：じょうほう　17. 的：もくてき　19. 介：しょうかい　21. 済：けいざい　22. 律：ほうりつ　23. 相：しゅしょう　24. 談：そうだん

読み練習・書き練習

ステップ1

①石油(せきゆ) 入(にゅう) ②進学説明会(しんがくせつめいかい) 一時間半(いちじかんはん) 試験(しけん) ③産(さん) 牛肉(ぎゅうにく) ④夏休(なつやす) 土産(みやげ) 子(し) 案内(あんない) ⑤彼(かれ) 公園(こうえん) 散歩(さんぽ) 橋(はし) 写真(しゃしん) ⑥体(たい) 計(けい) ⑦上(あ) 下(さ)

ステップ2

①首相(しゅしょう) 問題(もんだい) 考(かんが) 答(こた) ②予(よ) 相談(そうだん) 決(き) ③世界(せかい) 平和(へいわ) ④目的(もくてき) 経済(けいざい) ⑤文法(ぶんぽう) ⑥海外旅行(かいがいりょこう) 情報(じょうほう) 雑(ざっ) 集(あつ) ⑦文化(ぶんか) 紹介(しょうかい) ⑧健康(けんこう) 運動(うんどう) ⑨暖(だん) 暖(あたた) ⑩法律(ほうりつ) ⑪年(とし) 取(と) 自然(しぜん) 生活(せいかつ)

43・44課

漢字シート

ステップ1 1. 回：まわ　いっかい　2. 起：お　3. 頭：あたま　4. 短：みじか　5. 低：ひく　6. 軽：かる　7. 洗：あら　せん　8. 洋：ようしょく　9. 別：とくべつ

ステップ2 10. 幸：しあわ　11. 笑：わら　12. 泣：な　13. 静：しず　14. 変：たいへんか　15. 増：ふ　16. 減：へ　17. 倍：ばい　18. 祖：そふ　そぼ　19. 薄：うす　20. 厚：あつ 21. 政：せいじ　22. 美：びじゅつかん　うつく　23. 連：つ　こくれん　24. 絡：れんらく

読み練習・書き練習

ステップ1

①狭(せま) 起(お) 注意(ちゅうい) ②頭(あたま) 服(ふく) ③夜(よる) 短(みじか) ④上着(うわぎ) 軽(かる) 汚(よご) 洗(あら) ⑤部屋(へや) 回(まわ) 電気(でんき) ⑥甘(あ

ま）特別（とくべつ）　一回（いっかい）　⑦低（ひく）　座（すわ）　⑧洋食（ようしょく）　楽（らく）　⑨日（ひ）　洗濯物（せんたくもの）

ステップ２

①姉（あね）　中学校（ちゅうがっこう）　美術（びじゅつ）　②申し込（もうしこ）　幸（しあわ）
③泣（な）　笑（わら）　④政治（せいじ）　難（むずか）　大切（たいせつ）　⑤輸出（ゆしゅつ）　増（ふ）　減（へ）　⑥春（はる）　着（き）　薄（うす）　欲（ほ）　⑦美（うつく）　⑧説明書（せつめいしょ）　字（じ）　倍（ばい）　⑨辞書（じしょ）　厚（あつ）　重（おも）　電子（でんし）　⑩食堂（しょくどう）　連（つ）　⑪遅（おそ）　静（しず）　⑫祖父（そふ）　祖母（そぼ）　⑬必（かなら）　連絡（れんらく）

復習テスト3　39〜44課

ステップ１

Ⅰ　1お　2こうえん　3きも　4かい　5あつ　6せん　7かぐ　8けっこん　9しんがく　10あんしん　11まわ　12ひかり　13つよ　14あら　15かる　16し　17りょう　18ようしょく　19ぜんぶ　20ぼん　21ぽん　22ど　23さ　24あ　25いじょう

Ⅱ　1式　2黒　3着　4石油　5品　6次　7会議　8特別　9首相　10出席　11頭　12体温計　13貸　14暑　15短　16家　17代　18土産　19産　20牛肉　21案内　22社　23説明　24低　25通

ステップ２

Ⅰ　1ひょう　2ひつよう　3ぜったい　4わす　5かく　6せかい　7へいわ　8かんが　10こうつうじこ　10ふ　11ばい　12そと　13あたた　14うす　15じゅうぶん　16い　17もくてき　18だいがくいん　19せいじ　20びょうき　21こま　22きたな　23あか　24さむ　25だん　26ねが　27へや　28あつ　29おと　30ぜんぜん　31ざんねん　32こんや　33みな　34のこ　35しけん　36よご　37たいへん　38す　39たし　40かみ　41おもて　42わら　43こめ　44ゆにゅう　45へ　46ぼうねんかい　47へんじ　48ぶんか　49けんきゅう　50さ　51かんたん　52けんこう　53す　54せい　55しゃかい　56そふ　57そぼ　58み　59きそく　60まも

Ⅱ　1所　2相談　3留学生　4法律　5難　6辞　7眠　8泣　9静　10複雑　11経済　12参加　13申し込み　14必　15連絡　16便　17出発　18着　19直接　20空港　21幸　22生け花　23紹介　24起　25地　26情報　27台風　28倒　29家　30変　31美術館　32連　33大人　34美　35自然　36覚　37有名　38歌手　39曲　40発表

45・46課

漢字シート

ステップ１　1.卒：そつぎょう　2.引：ひ　びき　3.越：ひっこし　4.太：ふと　たい　5.細：ほそ　こま　6.働：はたら　7.押：お　8.好：す　9.冷：つめ　れい　ひ

ステップ２　10.寝：ね　11.受：う　12.付：うけつけ　つ　13.飛：ひこうき　と
14.船：ふね　ふなびん　15.階：かい　なんがい　16.段：かいだん　17.値：ねだん

18. 役：やく　しやくしょ　19. 初：はじ　20. 優：やさ　ゆうしょう　21. 因：げんいん
22. 論：ろんぶん　23. 途：とちゅう　24. 係：かかりいん

読み練習・書き練習

ステップ1

①押（お）細（ほそ）太（ふと）簡単（かんたん）②冷（つめ）冷（れい）冷（ひ）③机（つくえ）引き出し（ひきだし）④引っ越（ひっこ）⑤細（こま）⑥好（す）大学院（だいがくいん）卒業（そつぎょう）働（はたら）⑦市（し）⑧服（ふく）引（びき）⑨火（ひ）⑩太（たい）

ステップ2

①係員（かかりいん）②寝（ね）静（しず）③留守（るす）受（う）④優（やさ）結婚（けっこん）⑤市役所（しやくしょ）途中（とちゅう）⑥飛行機（ひこうき）船（ふね）⑦初（はじ）参加（さんか）受付（うけつけ）⑧原因（げんいん）⑨論文（ろんぶん）⑩配便（はいびん）⑪飛（と）⑫付（つ）⑬一生（いっしょう）優勝（ゆうしょう）⑭船便（ふなびん）⑮米（こめ）値段（ねだん）上（あ）⑯階段（かいだん）

47・48課

漢字シート

ステップ1　1. 声：こえ　2. 暗：くら　あんしょうばんごう　3. 弱：よわ　4. 遠：とお　5. 野：や　6. 反：はん　7. 伝：つた　てつだ　8. 若：わか　9. 両：りょうしん

ステップ2　10. 遊：あそ　11. 選：えら　12. 球：やきゅう　13. 育：そだ　きょういく　14. 温：あたた　おんど　15. 燃：も　16. 吹：ふ　17. 落：お　お　18. 届：とど　とど　19. 賛：さんせい　20. 恋：こいびと　21. 庭：にわ　22. 妻：つま　23. 夫：おっと　ぶ　24. 由：じゆう

読み練習・書き練習

ステップ1

①声（こえ）②両親（りょうしん）野（や）③弱（よわ）中学校（ちゅうがっこう）水泳（すいえい）始（はじ）④手伝（てつだ）⑤若（わか）⑥暗（くら）悪（わる）⑦結婚（けっこん）反（はん）気持（きも）変（か）⑧伝（つた）⑨遠（とお）⑩暗（あん）番号（ばんごう）⑪都（と）人口（じんこう）⑫別（わか）

ステップ2

①妻（つま）公園（こうえん）自由（じゆう）遊（あそ）②祖父（そふ）野球（やきゅう）③選（えら）④実験（じっけん）行（おこな）成（せい）⑤庭（にわ）育（そだ）⑥温（あたた）⑦化（け）⑧変（へん）燃（も）⑨吹（ふ）落（お）⑩賛成（さんせい）⑪連休（れんきゅう）温（おん）恋人（こいびと）土産（みやげ）届（とど）⑫試合（しあい）相手（あいて）⑬教育（きょういく）⑭夫（おっと）⑮気分（きぶん）大（だい）夫（ぶ）

漢字シート

ステップ1　1.京：とうきょう　2.私：わたし　わたくし　3.乗：の　4.菜：やさい　5.吸：す　6.記：にっき　7.雪：ゆき　8.絵：え　9.消：き　け

ステップ2　10.奥：おく　11.渡：わた　わた　12.泊：と　13.酒：さけ　14.定：よてい　15.例：れいぶん　16.調：しら　ちょうし　17.支：してん　18.過：す　す　19.勤：つと　てんきん　20.宅：たく　21.製：でんきせいひん　22.性：だんせい　じょせい　23.様：おくさま　ようす　24.感：かん

読み練習・書き練習

ステップ1

①東京（とうきょう）住（す）私（わたし）慣（な）②乗り場（のりば）私（わたくし／わたし）案内（あんない）③近（きん）野菜（やさい）④絵（え）雪（ゆき）⑤吸（す）⑥日記（にっき）続（つづ）⑦消（け）⑧消（き）⑨卒業（そつぎょう）進（すす）

ステップ2

①奥様（おくさま）②申（もう）自動車会社（じどうしゃがいしゃ）勤（つと）転勤（てんきん）参（まい）③酒（さけ）④長（ちょう）出（しゅっ）予定表（よていひょう）置（お）⑤例文（れいぶん）⑥支店（してん）電話番号（でんわばんごう）調（しら）⑦男性（だんせい）女性（じょせい）⑧会場（かいじょう）皆様（みなさま）心（こころ）感（かん）⑨週末（しゅうまつ）過（す）⑩宅（たく）小説家（しょうせつか）⑪橋（はし）渡（わた）⑫日本製（にほんせい）⑬泊（と）旅館（りょかん）

ステップ1

Ⅰ　1えほん　2す　3ふゆ　4とうきょう　5いっかい　6ゆき　7あめ　8かぜ　9よわ　10れい　11ひ　12つめ　13やさい　14はん　15くら　16ひっこ　17わたし　18とお　19ふべん　20ところ　21きんじょ　22かじ　23ひ　24き　25わか

Ⅱ　1乗　2特　3太　4鳥　5声　6手伝　7押　8細　9重　10太　11両親　12細　13暑　14消　15伝　16卒業　17働　18日記　19水曜日　20区　21公園　22若　23夕方　24吸　25人口

ステップ2

Ⅰ　1りよう　2かかりいん　3じゆう　4うけつけ　5なんがい　6はじ　7もう　8まい　9ろんぶん　10いっしょう　11つくえ　12ぶ　13たく　14おくさま　15す　16はっぴょう　17ゆうしょう　18ね　19つ　20しゅじん　21おっと　22ぎんこう　23つと　24たくはいびん　25るす　26じょうび　27じゅうしょ　28でんわばんごう　29あん　30たいふう　31ひこうき　32と　33れいぶん　34ぜんぶ　35おぼ　36はじ　37おん　38とちゅう　39やきゅう　40ゆめ　41つま　42やさ　43つか　44あたた　45あいて　46しょうかい　47てんきん　48せわ　49こころ　50かん　51ゆ

52しゅうかん 53ちが 54だんせい 55けいけん 56じょせい 57も 58へん 59つ 60ふなびん

Ⅱ　1育 2泊 3決 4酒 5悪 6庭 7遊 8強 9吹 10法律 11賛成 12最近 13米 14値段 15恋人 16事故 17原因 18調 19待 20教育 21船 22港 23支店 24書類 25彼女 26渡 27間 28受 29合格 30落 31交番 32服 33選 34色 35美 36役に立 37動物 38予定 39届 40製品

まとめテスト　26〜50課

ステップ1

Ⅰ　1こうえん 2かみ 3ふく 4けんきゅう 5にちようび 6お 7いみ 8あら 9てんき 10ゆうがた 11あめ 12よわ 13みなみ 14けっこんしき 15きんじょ 16だいどころ 17ひ 18お 19せつめい 20いじょう 21しつもん 22こめ 23さん 24こうばん 25あつ

Ⅱ　1走 2速 3池 4形 5泳 6風 7閉 8東京駅 9通 10次 11乗 12冬 13寒 14夏 15暑 16急 17待 18去年 19案内 20村 21運転 22好 23散歩 24鳥 25先

ステップ2

Ⅰ　1ぎじゅつ 2ゆにゅう 3じしょ 4かんたん 5れいぶん 6おぼ 7りょかん 8ひじょうぐち 9たし 10じ 11ばあい 12に 13びじゅつかん 14しんごう 15わた 16かど 17ま 18ね 19しず 20きょか 21ひつよう 22だい 23はら 24じゆう 25はじ 26ちきゅう 27きゃくさま 28じゅぎょう 29じどうはんばいき 30こんや 31ほし 32は 33そつぎょう 34たの 35じむしょ 36すず 37れい 38ふなびん 39みな 40しゅっせき 41だいじょうぶ 42そふ 43あつ 44しょうらい 45へいわ 46はたら 47よ 48にもつ 49してん 50とど 51しゅうまつ 52よてい 53さけ 54は 55いた 56よこ 57ちょうし 58たいいん 59お 60つくえ

Ⅱ　1幸 2夢 3絶対 4探 5紹介 6約束 7守 8増 9倍 10変 11難 12全然 13復習 14遊 15込 16遅 17妻 18相談 19育 20連絡 21忘 22試合 23負 24残念 25勝 26忙 27取 28無理 29狭 30戻 31故 32直 33原因 34政治 35経済 36目的 37最近 38値段 39黄色 40願